Drôle en cochon

Œuvres de Gilles Latulippe

Une p'tite vite (éd. de l'Homme, 1970)
Olivier (éd. Stanké, 1985)
Avec un sourire. Autobiographie
(éd. de l'Homme, 1997)
Balconville, P.Q. (Élæis, 1999)
Salut cocu ! (Élæis, 1999)
La Sainte Paix (Élæis, 1999)
Vingt-cinq sketches, tome I (Élæis, 1999)
Vingt-cinq sketches, tome II (Élæis, 1999)
Drôle en diable (Élæis, 2000)
Drôle à mort (éd. TDV, 2001)

Gilles Latulippe

Drôle en cochon

Éditions Théâtre des Variétés, 2002.

Merci à mon bras droit Olivier Latulippe et à notre ami Serge Trudel.

G.L.

Avertissement.
L'auteur et l'éditeur sont tombés d'accord sur l'impérative nécessité de conserver au langage de toutes les histoires drôles leur forme populaire, sans laquelle elles perdraient fatalement leur âme et leur tonus.

Correction d'épreuves : Eric-Henri B. Tandundu
Mise en page : Cyclone Design Communications inc.

ISBN : 2-9807286-1-6
Dépôt légal : 3e trimestre 2002
Bibliothèque nationale du Québec
Bibliothèque nationale du Canada
Imprimé au Canada

PRÉFACE

Quand j'essaie d'expliquer à quelqu'un le show business, la comédie, ou le rire, l'unique nom qui me vient immédiatement à l'esprit est celui de Gilles Latulippe. Il est le maître incontesté du punch et du timing. Très habile avec les mots, il déclenche le rire à coup sûr.

Latulippe ne fait pas sourire, il fait rire. Au théâtre, quand Gilles entre en scène, le public change d'humeur, et on entend souvent, venant de la salle : « Là, on va rire ! ». II est de cette catégorie de comédiens que le public adore et aime applaudir. II a toujours eu parmi ses fans de nombreux comédiens, dont mon père Marcel. Depuis trente-cinq ans, il fait partie de mes meilleurs souvenirs.

De la série télévisée *Le Zoo du Capitaine Bonhomme* à aujourd'hui, rien n'a changé : sa subtilité d'esprit et sa façon de raconter ne cessent de nous épater. Il fait l'amour avec l'humour, et l'humour avec amour. Ce passionné de théâtre, directeur de troupe, auteur et metteur en scène, n'a jamais perdu son sens du comique. Il a toujours eu ce punch inattendu pour faire crouler la salle... et moi aussi. Comme il le dit souvent : « Le rire c'est pas une farce. »

Vous trouverez dans ce livre plusieurs gags qui m'ont fait perdre mon texte dans des comédies que j'ai eu la chance de jouer à ses cotés. La passion de Gilles Latulippe ? l'humour tout simplement.

Bonne lecture !

Roger GIGUÈRE

Hommage à Manda Parent

Manda Parent «Marie-Jeanne» était dans la vie de tous les jours exactement le contraire de ce qu'elle était en scène. Manda était la partenaire féminine préférée d'Olivier Guimond. Il me l'a souvent dit. Combien de fois, étant plus jeune, je les ai vus jouer ensemble au théâtre. C'était magique!

Le hasard, ou le ciel, a voulu que quelques années plus tard je me retrouve sur une scène, comme Olivier, aux cotés de Manda. J'ai alors compris pourquoi elle était sa préférée. Quel talent! quelle personnalité! quelle générosité de cœur et d'esprit! Sur scène, elle ne prenait jamais votre place. Elle savait s'effacer quand vous aviez un gag à placer et s'interdisait de faire quoi que ce soit qui puisse atténuer votre rire. Manda pensait au succès du spectacle bien avant de penser à son succès personnel.

Pendant toutes les années où nous avons joué ensemble, je me suis toujours senti rassuré. Je savais qu'elle était là, qu'elle était capable de sauver le spectacle quelle que soit la situation. Quelle expérience elle avait!

Pour s'adresser au public dans la salle, Manda était championne toutes catégories. Elle mettait les femmes de l'assistance de son coté, elles étaient toutes pour elle. Et les hommes n'avaient qu'à bien se tenir quand elle faisait semblant de descendre dans la salle pour en attraper un. C'était la comédienne qui se servait de tout pour faire rire. Rien ne lui échappait. Elle se servait de son physique habilement, intelligemment et provoquait toujours le rire, cette grosse bonne femme qui jadis s'était appelée Épinglette.

Ce qui m'a toujours frappé chez Manda, ce sont ses yeux. Deux beaux yeux noirs comme des charbons. Ces yeux qui pouvaient vous regarder d'un air menaçant, ou amoureux, selon l'humeur du personnage.

Avec Manda, tout était toujours parfait. Jamais de plainte ou de critique. Comédienne par excellence, comédienne totale, elle jouait, dansait, chantait... Elle savait vraiment tout faire ! Elle pouvait aussi bien jouer le drame que la comédie. Tous ceux qui l'ont côtoyée ont été littéralement envoûtés par son charme.

Aujourd'hui, elle est allée rejoindre son ancien partenaire, Olivier, qui doit être tout à fait ravi d'être à nouveau à ses cotés. Eh bien, prends-en bien soin, Olivier, car nous l'aimons encore, nous l'aimerons toujours, notre Manda.

Gilles LATULIPPE

Quelle est la différence entre la bière et l'urine?

— Environ un quart d'heure.

Un garçon demande à son papa:

— Papa, pourquoi as-tu épousé maman?

— Ah! toi aussi tu te poses la question?

Un Père Noël juif entre dans une maison et dit:

— Bonjour les enfants! Qu'est-ce que je vous vends cette année?

Un garçon surprend ses parents en pleine action.

Il demande à son père :

— Hé ! Papa, qu'est-ce que tu fais ?

Le père répond :

— Je remplis le réservoir de ta maman...

Le garçon :

— Elle est dure sur le gaz, le laitier l'a remplie à matin !

Deux hommes se rencontrent. Le premier dit :

— Vous savez, je suis musicien, je joue du piano, ma femme enseigne l'orgue, j'ai deux enfants : l'un qui joue du violon, l'autre de la clarinette. Vous viendrez chez nous un soir et on va vous faire un concert.

Le deuxième lui dit :

— Moi, je suis boxeur, ma femme enseigne le judo, j'ai deux enfants : l'un fait du karaté, l'autre de la lutte. Vous viendrez chez nous un soir, on vous fera pas de concert mais on peut vous donner une maudite volée.

Un bénévole accompagné d'un médecin fait la visite des chambres dans un hôpital. Il ouvre une première porte et voit un patient sur son lit en train de se masturber. Le bénévole demande au médecin :

— Qu'est-ce qu'il fait-là, cette espèce de vicieux ?

Le médecin lui explique :

— Ce patient-là produit trop de spermatozoïde, il doit en éliminer régulièrement : deux ou trois fois par jour. Ça fait partie de son traitement.

Le bénévole ouvre une autre porte et il aperçoit un autre patient qui fait la même chose. Le médecin lui explique qu'il souffre de la même maladie. On ouvre une troisième porte et, cette fois-ci, le bénévole voit une garde-malade en train de faire une pipe au patient. Étonné, il demande des explications. Le médecin lui explique :

— Il souffre de la même maladie que les autres, mais lui, il a une assurance privée.

À chaque épisode d'une émission de télévision, le héros vivait dans le corps d'une personne de son choix pendant vingt-quatre heures. Si on m'avait donné cette chance-là, j'aurais choisi d'être dans le corps de Britney Spears et j'aurais passé toute la journée à me tâter.

— Je voudrais un sandwich robot
— Un sandwich robot? C'est quoi ça?
— Un sandwich automate!

Annonce de la lingerie Georgette: «Georgette est fière de vous annoncer que ses bas-culottes sont baissés de moitié.»

Un jeune soldat se trouve dans une base secrète en Alaska. Il écrit à sa famille :

« Chers parents,

Je ne peux pas vous dire où je suis, mais hier dans le bois, j'ai tué un ours. »

Quelques jours plus tard, il écrit leur à nouveau :

« Chers parents,

Je ne peux pas vous dire où je suis, mais hier au village j'ai dansé avec une fille et j'ai passé la nuit avec elle. »

Deux semaines passent, il leur adresse une troisième lettre :

« Chers parents,

Je ne peux pas vous dire où je suis, mais je suis à l'hôpital. Le docteur m'a dit que j'aurais été mieux de danser avec l'ours puis de tuer la fille. »

Un fonctionnaire arrive à la maison tout épuisé. Il dit à sa femme :

— C'est écœurant ! Au bureau, on a du travail pour quatre. Heureusement qu'on est douze !

J'ai travaillé toute la nuit pour mettre mon travail à jour !

Quand j'ai demandé à cette femme quel âge elle avait, elle m'a répondu :

— Autour de quarante.

Pour moi, c'est son deuxième tour !

Dans un cabaret de strip-tease, la danseuse était assez laide. Les gars criaient : « Debout en avant ! »

Une mère végétarienne dit à son fils :

— Oublie pas qu'on est ce qu'on mange.

Le fils lui répond :

— J'veux pas être un légume !

Lorsqu'ils dansent aujourd'hui, les jeunes ne se parlent pas, ne se touchent pas, ne se regardent pas. On dirait qu'ils sont mariés depuis trente ans !

Elle était tellement lente, ça lui prenait une heure et demie pour regarder l'émission *Soixante minutes*.

L'autre jour, j'ai été insulté. Je suis allé acheter du poison à rats et le vendeur m'a demandé : « Est-ce que c'est pour emporter ou pour manger ici ? »

PLAYGIRL

PLAYGIRL MAGAZINE
Rubrique « Page centrale »
Bureau de la succursale
St-Petersburg, Floride
6969 USA

Monsieur,

Votre nom et votre photo nous ont été soumis et nous regrettons de vous aviser qu'il nous est impossible d'utiliser votre corps dans notre «Page centrale».

Sur une échelle de 0 à 10, votre corps a été évalué à - 2 par une équipe de juges formée de femmes entre 60 et 75 ans. Nous avons bien tenté de rassembler une équipe dont l'âge varierait entre 25 et 35 ans, mais nous n'avons pas réussi à les empêcher de rire assez longtemps pour qu'elles puissent prendre une décision.

Si par hasard le goût des femmes américaines changeait d'une façon significative et qu'un corps tel que le vôtre devenait acceptable pour notre rubrique «Page centrale», vous serez avisé par notre bureau.

En attendant, ne vous appelez pas, nous vous appellerons.

Bien à vous.

G. Penetray, Éditeur
Playgirl Magazine

P.-S.
C'est tout à fait étonnant ! Comment se fait-il que vous ayez le nombril si bas ? Avez-vous déjà été porte-drapeau ?

Le colonel Gamache passe ses troupes en revue. Il demande à une recrue :

— Soldat, à quoi sert un fusil ?
— À fusiller, mon colonel !
— À quoi sert un canon ?
— À canonner, mon colonel !
— À quoi sert un tank ?
— À tankuler, mon colonel !

Un gars assez niaiseux... Il a volé une auto et il continue à faire les paiements.

J'ai connu une belle fille ventriloque topless qui n'était pas très bonne. Mais c'était pas grave : de toute façon, personne ne regardait ses lèvres.

Le meilleur moment d'acheter une voiture usagée c'est quand elle est neuve.

Avoir le sous-sol inondé c'est pas drôle, mais le grenier, c'est pire !

La vie c'est formidable : sans elle, t'es mort !

Un gars qui se remarie une deuxième fois ne mérite pas de perdre sa première femme.

Henry Ford, même avec tout son argent, a jamais eu de Cadillac.

Moins tu gages, plus tu perds quand tu gagnes.

Embrasser sa propre femme, c'est comme se gratter quand ça pique pas.

Oui, les femmes sont plus intelligentes que les hommes. Par contre, j'ai jamais vu un gars porter une chemise qui s'attache dans le dos.

Il ne faut jamais traverser le pont avant qu'il soit construit !

Mon frère et moi, on partageait tout. L'hiver, on partageait notre traîneau. Moi je l'avais pour descendre et lui il l'avait pour monter.

On fait remarquer à un homme qui a une très belle femme qu'elle a un amant. Le gars répond :

— Cinquante pour cent de quelque chose, c'est mieux que 100 % de rien.

Beethoven était tellement sourd que toute sa vie il pensait qu'il faisait de la peinture.

N'oubliez pas que dans le monde, il y a deux fois plus de pieds que de têtes.

Je viens d'une famille de onze enfants. Nous n'étions pas riches et les plus jeunes portaient les vêtements qu'avaient porté les plus vieux. Dans mon cas c'était pas toujours drôle. J'avais dix sœurs !

Je m'étais engagé dans la marine pour voir le monde. J'ai passé deux ans dans un sous-marin !

Savez-vous ce qui arrive à une femme qui fait de la prostitution ? elle va en prison. Et un homme ? il est réélu !

Un sondage nous indique que 25 % des hommes ont des relations quatre fois par semaine. Ce chiffre tombe à 10 % si on ajoute « avec une partenaire ».

J'suis sûr que je n'étais pas un enfant désiré. Il y a des signes qui ne mentent pas. Un jour mon père m'a donné une bicyclette et il m'a dit : « Viens avec moi sur le toit, je vais te donner ta première leçon. »

Un peu plus tard, un hiver, j'ai demandé à mon père : « Est-ce que je peux aller patiner sur le fleuve ? » Il m'a répondu : « Attends qu'il fasse plus chaud ».

Je nourris les oiseaux à tous les jours. C'est cher mais d'un autre coté, je sauve sur la nourriture pour chat !

Une fois par semaine, ma femme et moi on prend une soirée pour s'amuser : moi c'est le mardi puis elle c'est le jeudi.

Un vendeur dit :

— Cette machine à coudre-là va se payer toute seule.

Le client répond :

— Quand elle sera payée, vous me l'enverrez !

J'ai aidé un gars dans le trouble. Il m'a dit : « Je ne t'oublierai pas. » C'est vrai : maintenant, à chaque fois qu'il est dans le trouble, il m'appelle.

J'ai l'impression que ma femme est tannée de moi. Elle m'enveloppe mes lunchs dans des cartes géographiques.

Je suis sorti avec ma première blonde pendant deux ans, et là, elle a commencé à m'achaler : « Comment tu t'appelles ?... »

Les politiciens essaient de nous faire croire que les déchets nucléaires ne sont pas dangereux si on les met à la bonne place. Parfait, mettez-les en dessous du Parlement.

Quand j'étais petit, j'avais cinq frères et on couchait tous les six dans le même lit. Je me couchais toujours le dernier pour pouvoir dormir sur le dessus.

Dans l'autobus, j'ai donné ma place à une femme, elle a perdu connaissance, ensuite elle m'a dit merci, et moi j'ai perdu connaissance.

Si tu demandes à mon énorme belle-mère la direction pour aller quelque part, elle te répondra : « Tu vas jusqu'au McDonald, tu tournes à gauche jusqu'au Saint-Hubert, après tu tournes à droite au Burger King, puis c'est à côté du Harvey's. »

La ministre Louise Harel est décédée. Elle se présente devant saint Pierre. Celui-ci la reconnaît et lui dit :

— Ouvrez la porte du paradis.

Elle ouvre la porte et des flammes surgissent. Toute étonnée, elle demande à saint Pierre ce qui se passe. Il lui répond :

— J'ai oublié de vous le dire : on a fusionné !

Un bonne femme, laide et mal faite a un chien qu'elle appelle Pire. Un matin, elle est en robe de chambre mal boutonnée, les bigoudis sur la tête, elle met son chien dehors. Tout à coup, son chien disparaît. Énervée, la bonne femme se sent devenir folle. Elle accroche le premier homme que passe dans la rue et lui demande :

— Avez-vous vu Pire ?

L'homme la regarde attentivement et lui répond :

— Non, mais j'ai déjà vu mieux !

Une jeune fille entre dans un grand magasin, elle demande à un vendeur :

— Je voudrais une brassière.

Le vendeur lui demande :

— Qu'elle pointure ?

Elle lui répond :

— Vingt-quatre.

Le vendeur lui dit :

— Vingt-quatre ? J'en ai pas, mais allez dans le département à côté, ils ont de l'onguent pour les boutons.

Un jour, par accident, un employé qui travaille dans une boucherie s'est fait partir le bout du nez dans la machine à couper le jambon. Il s'est retrouvé avec un nez carré comme un cochon. Heureusement pour lui, aujourd'hui les greffes sont possibles et on lui a greffé un nouveau bout de nez rond fait avec de la peau de pénis. Tout est parfait, sauf que quand il voit passer une belle fille, le nez lui retrousse !

Un niaiseux rencontre une fille dans un bar. Il la ramène chez lui pour finir la soirée. Devinant ses intentions, elle le prévient :

— Il faut que je te dise, j'ai pas d'utérus.

Il lui répond :

— Ça ne me dérange pas, on va boire du thé ordinaire !

La fête des chats c'est la mi-août.

La longueur d'un chat, c'est un pouce et quatre.

Le jeu de société préféré des « pickpocket » c'est le jeu de poches.

Ils m'ont engagé comme portier et ils m'ont mis à la porte !

Quelle est la principale cause du cancer du sein ?
— Les mains sales et les dents cariées.

La définition d'un glaçon ?
— C'est de l'eau bandée.

J'ai jamais pu réaliser mes aspirations. Quand j'étais jeune, j'ai toujours dit : « Quand je serai grand, je voudrais faire un nain ! »

Savez-vous pourquoi au base-ball le receveur porte sa casquette avec la palette en arrière ?
— C'est pour avoir la casquette dans le même sens que tous les autres joueurs.

Le curé en chair n'est pas de bonne humeur. Il dit :

— Hier, après les vêpres, je me promenais dans le jardin, et qu'est-ce que j'aperçois dans un bosquet ? Elle et lui en train de faire des choses que la morale ne permet pas. J'avance un peu et j'aperçois derrière un autre bosquet elle et elle qui faisait des choses pas permises. J'avance un peu plus loin et qu'est-ce que j'aperçois ? Lui et lui en train de faire des choses écœurantes.

Au même moment, un petit garçon dit à son ami à côté :

— S'il avait fait 10 pieds de plus, il me pognait moi puis moi !

Le féminin d'un soulier au soleil ?

— Une botte au clair de lune.

Le féminin de castor ?

— Castorche

Dans un autobus, un passager bègue demande au chauffeur :

— Est-ce que c'est la rue Pa... Pa... Pa... Papineau ?

Le chauffeur ne lui répond pas. Le passager lui demande encore une fois :

— Est-ce que c'est la rue Pa... Pa... Pa... Papineau ?

Le chauffeur l'ignore toujours. Un autre passager, choqué, dit au bègue :

— La rue Papineau c'est ici, monsieur.

Le bègue descend. Le passager choqué dit au chauffeur :

— Je n'en reviens pas. Vous êtes ici pour servir la clientèle. Pourquoi vous ne lui avez même pas répondu ?

Le chauffeur :

— J'a... j'a... j'a... j'avais peur d'a... d'a... d'a... d'avoir une claque sur la gue... gue... gue... gueule !

La différence entre un thermomètre buccal et anal ?

— Le goût !

Questions sans réponse

— Qu'est-ce qu'on envoie à une fleuriste malade ?

— En sortant de son auto, où est-ce qu'un nudiste met ses clés ?

— Pourquoi est-ce qu'un ronfleur s'endort toujours le premier ?

Enquête sur le comportement de l'homme et son attitude aux urinoirs :

Type social : Rejoint ses amis pour faire pipi, qu'il ait besoin ou pas. Il dit que ça fait toujours plaisir et que ça ne coûte rien.

Type timide : Ne peut pas faire pipi quand on le regarde. Il prétend qu'il a fini et revient plus tard.

Type nerveux : Il n'arrive pas à ouvrir sa braguette, se fâche et arrache sa fermeture Éclair. Il part, sa braguette ouverte, et se croise les jambes pour que ça ne paraisse pas.

Type frivole: Il s'amuse à faire pipi à contre-courant, de bas en haut et essaie de faire pipi sur les mouches.

Type grogneux: Il reste là un certain temps, commence à chicaner, essaie de faire pipi, n'y arrive pas et s'en va en bougonnant.

Type adroit: Il fait pipi sans la tenir en main et ajuste sa cravate en même temps.

Type bruyant: Il siffle ou chantonne en faisant pipi. Il parle très fort en se secouant et s'aperçoit finalement qu'il arrose son voisin.

Type vaniteux: Il baisse sa fermeture Éclair au complet alors que la moitié suffirait.

Type brutal: Il frappe son engin sur le bord de l'urinoir pour faire tomber la dernière goutte.

Type distrait: Il déboutonne son veston, sort sa cravate et fait pipi dans son pantalon.

Type gêné: Il met son pied dans l'urinoir et fait pipi sur sa jambe pour éviter de faire du bruit.

Un homme d'affaires jeune et prospère fait une proposition à une jeune et très jolie fille. Elle accepte de passer la nuit avec lui pour la somme de 500 $. Le lendemain matin lorsque l'homme d'affaires est prêt à partir, il informe la jeune fille qu'il n'a pas l'argent sur lui pour la payer mais qu'il va s'arranger pour que sa secrétaire lui fasse parvenir un chèque avec la mention «Location de logement».

En se rendant à son bureau, il décide que toute l'aventure ne valait pas le prix convenu. Il demande à sa secrétaire d'envoyer un chèque de 250 $ avec le message suivant:

«Chère Madame,

Ci-joint un chèque au montant de 250 $ pour la location de logement. Je ne vous fais pas parvenir le montant original convenu, parce que lorsque j'ai loué l'appartement, j'étais sous l'impression que:

a) il était neuf;
b) il était bien chauffé;
c) il était petit.

La nuit dernière, j'ai réalisé qu'il avait déjà été occupé, qu'il n'y avait aucune chaleur et qu'il était vraiment trop grand.

Sincèrement vôtre... »

À la réception du message, la jeune fille retourne son chèque de 250 $ au monsieur, avec les commentaires suivants :

« *Cher Monsieur,*

Je vous retourne ci-joint votre chèque de 250 $. Je ne peux comprendre comment vous avez pu penser qu'un si beau logement puisse demeurer inoccupé.

En ce qui concerne la chaleur, il y en a amplement en autant que vous puissiez la contrôler. Concernant la grandeur, je dois malheureusement vous informer que ce n'est pas ma faute si vous n'étiez pas en mesure de le meubler convenablement.

Bien à vous... »

Quel est l'outil qui ressemble le plus à un homme ?

— Le marteau : il a une petite tête et un gros manche !

En application de la loi islamique, trois hommes sont condamnés pour adultère. Les peines ont directement rapport avec les métiers qu'ils exercent. On demande donc au premier :

— Qu'est-ce que vous faites dans la vie ?

Il répond :

— Je suis bûcheron.

La sentence tombe tout de suite :

— Qu'on le lui coupe !

On pose au deuxième la même question. Il répond :

— Je suis pompier.

Nouvelle sentence :

— Qu'on le lui brûle !

Le troisième était parfaitement mort de rire. Le juge lui demande :

— Pourquoi vous rigolez comme ça ? Et d'abord, qu'est-ce que vous faites ?

— Je suis vendeur de suçons !

Je veux être enterré avec une brosse à habits pour quand je tomberai en poussière.

Les jeunes aujourd'hui n'ont plus de respect pour rien. Dimanche passé, à la messe, j'ai vu un jeune d'à peu près 7 ou 8 ans qui fumait dans l'église. J'en revenais pas, j'étais assez surpris, j'ai échappé ma bière !

Les Amérindiens sont près de la nature. La preuve, c'est qu'ils nomment toujours leurs enfants d'une façon très poétique et qui rappelle un événement relié à la naissance de l'enfant. C'est ce que la mère expliquait à son petit garçon en lui disant :

— Ta sœur, par exemple, est née tout près d'une rivière. C'est pour ça qu'on l'a appelée Cascade d'eau. Ton frère est né à l'aube, c'est pour ça qu'on l'a appelé Soleil-Levant. Ta deuxième sœur est née en pleine nuit, on l'a appelée Lune-Bleue. C'est comme ça, comprends-tu, Condom-Pété ?

En se remariant les veuves se consolent et les veufs se vengent.

Quand les choses allaient bien dans un couple, les époux s'appelaient toujours et très tendrement Papa et Maman. Cependant, quand les choses allaient mal, ils se donnaient du Monsieur et du Madame.

Un soir, le couple revient d'un party et ils se sont chicanés. La femme dit à son mari :

— Je ferai remarquer à Monsieur qu'il s'est comporté comme un goujat.

Réponse de Monsieur :

— Et moi, je ferai observer à Madame que je m'en sacre !

Le couple se couche. Au bout de quelques instants, l'épouse dit à l'époux :

— Je ferai remarquer à Monsieur qu'il a son genoux dans la partie grasse de Madame.

— Je ferai observer à Madame que c'est pas exactement mon genoux !

Et elle dit :

— Cré Papa, va !...

Avez-vous entendu parler des trois voleurs qui ont volé un plein camion de Viagra ? La police cherche des criminels endurcis.

À Hollywood, une femme appelle une amie :

— Je donne un party demain soir, tout le monde va être là. Viens donc, Robert va être là.

— Quel Robert ?

— Robert DeNiro. Julia va être là elle aussi, avec Sylvester.

— Julia et Sylvester qui ?

— Julia Roberts et Sylvester Stallone. Deux va être là…

— Deux ?

— Écoute, j'suis quand même pas pour l'appeler Jean-Paul !

Dans l'insémination artificielle, on remplace le taureau par le vétérinaire.

La définition de la vie : Espace de temps que l'on met à parcourir en partant d'un trou pour entrer dans un autre.

Dans un restaurant, un bègue demande au garçon :

— Do... Do... Do... Donnez-moi deu... deu... deux to... to... toasts pi... pi... pi... puis un ca... ca... ca... café.

Le garçon crie à la cuisine :

— Deu... deu... deux to... to... toasts, pi... pi... pi... puis un ca... ca... ca... café.

Le client dit au garçon :

— Vou... Vou... Vou... Vous vous mo... mo... moquez de mo... mo... moi !

Le garçon répond :

— No... no... no... non, j'pa... j'pa... j'parle toujours de mê... mê... même.

Au même moment, un autre client entre dans le restaurant et demande :

— Donnez-moi deux hot-dogs puis un Coke.

Le garçon crie à la cuisine :

— Deux hot-dogs puis un Coke.

Le client bègue lui dit :

— Je... Je... Je... le sa... sa... savais que... que... vou... vou... vous... mo... mo.., moquiez de mo... mo... moi !

Le garçon répond :

— No... No... No... Non, j'me... j'me... j'me mo... mo... moque pas... pas de vou... vou... vous, j'me mo... mo... moque de lui !

Devises

Des laveurs de vaisselle : «Je pense, donc j'essuie.»

Des coiffeuses : «Sois belle et teins-toi.»

Des travailleurs de l'acier : «En fer et contre tous.»

Des play-boys : «*Ad mare usque ad mari* :
D'une p'tite mère à l'autre.»

Des prostituées : «Tout vient à point à qui sait s'étendre.»

Des fantômes : «Frappez avant d'hanter.»

Des vieilles filles : «Tant qu'il y a de la vie, il y a de l'espoir.»

Des alcooliques anonymes : «Vené, vidé, Vichy.»

Des homosexuels : «Un homme inverti...»

Des lesbiennes : «Ça vaut pas cher, la verge.»

Lettres reçues à l'Oratoire Saint-Joseph

« Je vous envoie une piastre pour l'âme du purgatoire de mon père. »

« La grâce de faire une bonne mort pour mes parents vivants et décédés. »

« Le Frère André m'a guéri d'un embargo. »

« J'ai obtenu la faveur d'avoir des enfants de Saint-Joseph. »

« Je n'ai plus que la peau et les os, j'aimerais bien avoir ma santé. »

« J'envoie une piastre pour faire brûler devant Saint-Joseph. »

« Deux messes pour les âmes les plus délaissées, dont une de mon mari et l'autre pour mon fils. »

« J'envoie une piastre pour aider a remettre le toit sur l'église. »

« Je demande a Saint-Joseph de me guérir de ma jambe d'avariste. »

« Ma fille a boé, acour, asor

« J'envoie une piastre pour que le frère André monte sur l'autel. »

« J'ai une faiblesse de pine dor sale. »

« Protéger mon Ange Guardien. »

« Je fais de la haute pression artificielle. »

« J'ai beaucoup d'occupations qui m'occupent. »

« Donnez-moi la santé de faire une bonne mort. »

« Mon fils souffre d'un complet d'inférieusite. »

« Je demande la guérison de ma santé que est attaque d'angine. »

« Mon mari n'est pas revenu d'une crise de mort subite. »

Un homme entre dans le bureau du médecin. Il a un concombre dans chaque narine, une carotte dans l'oreille gauche, une banane dans l'oreille droite et il demande au docteur :

— Qu'est-ce que j'ai qui va pas ?

Le docteur lui répond :

— Vous ne mangez pas bien !

Dans la vitrine d'un optométriste, une affiche indique :

« Si vous ne voyez pas ce que vous voulez, vous êtes à la bonne place. »

La secrétaire d'un psychiatre vient lui dire :

— Il y a un patient dans la salle d'attente, il dit qu'il est invisible.

Le docteur lui répond :

— Dites-lui que je ne peux pas le voir !

L'obstétricien sort dans le corridor et dit au nouveau papa :

— J'ai une bonne et une mauvaise nouvelle pour vous. La bonne nouvelle, c'est que vous êtes le père d'une belle petite fille. La mauvaise nouvelle c'est que c'est une césarienne.

Le père répond :

— J'aurais aimé mieux que ça soit une Canadienne.

Ce que vous ne voulez pas entendre pendant votre opération :

« Oops ! », « Rapporte c'te morceau-là, méchant chien ! », « Bon, encore une panne d'électricité ! », « Bougez pas personne, j'ai perdu un verre de contact ! », « Es-tu sûr que c'était pas pour un changement de sexe ? », « Jette pas ce morceau-là, on va en avoir besoin pour l'autopsie. »

Après l'examen, un médecin explique la prescription à sa patiente :

— Vous prendrez la pilule verte avec un verre d'eau. Une heure après, vous prendrez la pilule bleue avec un verre d'eau. Une heure après, vous prendrez la pilule rose avec un verre d'eau. Une heure après, la pilule jaune avec un verre d'eau...

La patiente l'interrompt et lui demande, très inquiète :

— Qu'est-ce que j'ai exactement, docteur ?

Réponse du docteur :

— Vous ne buvez pas assez d'eau !

En lui remettant une bouteille de pilule pour maigrir, un docteur dit à sa patiente obèse :

—Prenez pas ces pilules-là, jetez-les par terre, puis ramassez-les une par une.

Le code postal d'une femme mariée qui a un amant : G0Q 1D2.

Après douze ans de thérapie, mon psychiatre m'a dit quelque chose qui m'a donné le goût de pleurer. Il m'a dit : *I dont speak french.*

J'ai une diète extraordinaire. Tu peux manger tout ce que tu veux, mais tu dois le faire entourer de grosses personnes toutes nues.

En Écosse, il y a deux noms de famille très populaires : McDonald et McDougle. Savez-vous comment les différencier ?

Tu en vois un dans la rue. Tu mets ta main sous sa jupe et tu tâtes. Si ça pèse un quart de livre, c'est un McDonald.

Un Indien, resté fidèle aux signaux de fumée de ses ancêtres, dit:

— Ma *squaw* a vraiment une grande gueule. Le mois passé, elle m'a coûté deux cordes de bois en téléphone.

Un mari est en train de faire l'amour avec sa femme. Au même moment, le téléphone sonne. Sans se dégager, la femme répond: «Allô, Albert? Tu parles d'une coïncidence, justement j'pensais à toi!»

Le téléphone sonne dans le bureau d'un médecin. La secrétaire répond. Un homme demande:

— Est-ce que le docteur est entré?

La secrétaire répond:

— Non, il est encore juste en train de me caresser les seins!

À la Maison des vins, le gérant reçoit un téléphone d'un homme qui lui demande:

— Avez-vous un Château Margaux 1982?

Le gérant lui répond:

— Mais oui, cher monsieur!

— Vous avez vraiment un Château Margaux 1982?

— Oui, oui, monsieur!

— Bien, fourrez-vous-le où je pense!

Quelques heures plus tard, le gérant de la S.A.Q. reçoit un appel d'un policier qui lui demande:

— Avez-vous reçu un appel d'un maniaque qui voulait savoir si vous aviez un Château Margaux 1982?

— Oui, et en plus il m'a dit de me le mettre où il pensait!

Le policier lui répond:

— Ça fait combien de temps de ça?

— Environ deux heures.

— Deux heures. Alors, vous pouvez l'enlever: maintenant, il doit être chambré!

Deux hommes discutent. Le premier dit au second :

— Es-tu marié ?

— Non, je suis gay.

— Est-ce que ton frère est marié ?

— Non, il est gay lui aussi, comme mes deux autres frères.

— Y as-tu quelqu'un chez vous qui aime les femmes ?

— Oui, ma sœur !

La baignoire a été inventée en 1850, et le téléphone en 1875. Ça veux dire qu'un gars a pu rester dans son bain pendant 25 ans avant d'être dérangé par le téléphone !

— J'te dis que je suis cocu !

— Qu'est-ce qui te fait penser ça ?

— La semaine passée, ma femme a eu un bébé, puis le facteur passe les cigares !

Le téléphone sonne au moment où une femme est en train de chanter une berceuse pour endormir son bébé. Le mari lui dit :

— Ce sont les voisins d'en haut qui disent que plutôt que de t'écouter chanter, ils aiment mieux entendre brailler le petit !

Une femme dit à son mari :

— Tu n'es rien qu'un cornichon.

— C'est parfait ! Les cornichons ça va bien avec la viande froide.

Un nouveau marié regarde sa femme se déshabiller. Elle enlève un soulier et il lui demande :

— Comment tu peux faire pour entrer ton pied dans un si petit soulier ?

— T'as rien vu encore, attends que j'enlève mon corset !

Un perroquet a mangé toutes les pilules de Viagra de son maître. Enragé, le bonhomme met le perroquet dans le congélateur. Au bout d'une heure, il ouvre la porte pour le laisser sortir. À son grand étonnement, le perroquet est tout en sueur. Il lui demande :

— Comment ça se fait que tu as chaud comme ça ?

Le perroquet répond :

— As-tu déjà essayé de faire l'amour à une dinde congelée ?

Une femme dit à son mari :

— As-tu vu le perroquet ? Il n'est plus dans sa cage !

— Je l'ai pas vu, mais c'est bizarre, ça fait une heure que le chat n'arrête pas de parler.

Un vieux bonhomme avoue : « Avant, avec mon organe, je pouvais casser une assiette, maintenant je l'essuie. »

Un gars e
pas grave, on ira en taxi !

Trois bonshommes d'un certain âge se rencontrent après des années d'absence. On demande au premier :

— Qu'est-ce que tu fais depuis que tu es à la retraite ?

— J'ai toujours aimé le sport, alors je fais des marches, je fais de la natation, du golf, etc.

On demande au deuxième :

— Comment passes-tu ton temps ?

— J'ai toujours aimé les voyages, alors j'en profite pour découvrir de nouveaux pays. Toutes les villes que j'ai toujours voulu voir, maintenant que j'ai le temps, je les visite.

On demande au troisième :

— Et toi, à quoi consacres-tu ton temps ?

— Je fais de la recherche.

— Tu fais de la recherche ? Quel genre ?

— Je cherche mes clés, mes lunettes, mes billets d'autobus...

Comment s'appellent les premières dents?

— Les dents de lait.

Comment s'appellent les dernières dents?

— Les dentiers!

Ma femme et moi on forme un couple extraordinaire: je suis extra puis elle est ordinaire.

Un homme dit à son ami:

— Si j'apprenais que ma femme me trompe, je me suiciderais.

— C'est pour ça que ta femme et moi on t'a jamais rien dit!

Un jeune juif gay de Californie téléphone à sa mère. Tout content, il lui dit :

— Maman, j'ai finalement décidé de faire une vie « normale ». J'ai rencontré une fille formidable et je pense l'épouser.

Sa mère est folle de joie, mais, toujours un peu suspicieuse, elle demande :

— Je suppose que ce serait trop demander qu'elle soit juive ?

— Mais non ! Rassure-toi, maman, elle est aussi juive que toi et moi. Et en plus, elle est d'une riche famille de Beverly Hills.

La maman explose de joie. Elle demande à son fils :

— Dis-moi comment elle s'appelle.

— Monica Lewinsky !

Silence de mort. La maman prend une grande respiration et lui dit :

— Ça te tenterait pas de sortir encore avec le jeune garçon noir que tu fréquentais l'an dernier ?

Simon rencontre son ami Abraham au salon du prêt-à-porter.

— Alors, Simon, comment ça va ?

Simon lui répond :

— Ouf ! si tu savais... Mon fils David me cause bien des problèmes : il pense rien qu'à s'amuser avec les filles. Quand il arrive au salon, il s'en va directement dans les vestiaires des mannequins. Là, il flirte avec, il leur met la main aux fesses, ensuite il m'emprunte ma carte de crédit et il les emmène passer la nuit à courir la galipote.

Abraham lui répond :

— Bah... rassure-toi, Simon. Mon fils Jacob, lui, c'est pire : tous les soirs, il vient me retrouver au salon. Dès qu'il est arrivé, il s'en va directement dans les vestiaires des mannequins. Là, il flirte avec, il leur met la main aux fesses, ensuite il m'emprunte ma carte de crédit et il les emmène passer la nuit à courir la galipote.

— Mais, conclut Simon, ce n'est pas pire que ce que fait mon David !

— Abraham, tu oublies que je suis dans le prêt-à-porter pour hommes.

Un gars rentre chez lui à l'improviste et trouve sa femme au lit avec un autre homme. Désespéré, il va demander conseil à un de ses amis.

— Moi, si je trouvais un autre homme dans le lit de ma femme, je tuerais le chien !

— Pourquoi veux-tu qu'il y ait un chien ?

— Parce que pour qu'un homme couche avec ta femme, il faut forcément qu'il soit aveugle !

Comment appelle-t-on un bébé juif non circoncis ?

— Une fille.

Un patient arrive dans le cabinet du docteur et lui dit immédiatement en entrant :

— Avant vous, je suis allé voir un guérisseur…

Le docteur répond :

— Et quelle connerie est-ce que ce charlatan vous a racontée ?

— Il m'a conseillé de venir vous voir.

C'est un gars qui va consulter son médecin de famille :

— Docteur, il faut que vous m'aidiez. Je suis un obsédé sexuel... je n'arrête pas !

— Vous faites l'amour combien de fois par jour ?

— Eh bien, deux fois par jour je fais ça avec ma femme.

— Deux fois ? ce n'est pas trop. Après tout, vous êtes un jeune homme plein de vie.

— Oui, mais ce n'est pas tout. Deux fois par jour, je le fais aussi avec ma secrétaire.

— Ah ! dans ce cas, c'est probablement un peu excessif.

— Oui, mais ce n'est pas fini. Deux fois par jour, je vais voir une prostituée.

— Ouh là ! j'avoue qu'il y a de l'abus. Il va falloir que vous vous preniez en main !

— Mais je le fais ça aussi, deux fois par jour !

— Maman, maman, j'ai mal à l'œil, il faut que tu m'emmènes chez le zieutiste !

— Mais, mon petit chéri, c'est pas le zieutiste, c'est l'oculiste !

— Non, maman, c'est aux yeux que j'ai mal.

Un débardeur qui déchargeait un camion au port de Montréal s'est blessé au dos. Il va voir un médecin. Après l'examen, celui-ci lui dit :

— Il y a de fortes chances que vous ayez une hernie discale.

— Qu'est-ce que c'est ça ?

— Eh bien, dans le dos, vous avez un disque qui est en train de sortir !

— Ah oui ?

— D'ailleurs, il vous faut tout de suite arrêter votre travail, au moins temporairement, et je vous prends un rendez-vous pour une radio dès demain !

Le soir même, le débardeur appelle son patron au téléphone :

— Patron, j'arrête de travailler !

— Ben, qu'est-ce qui se passe, Maurice ? T'es-tu trouvé une job ailleurs ?

— C'est encore mieux que ça, patron : je vais me lancer dans le show business : le docteur a dit que mon disque sortait et que je passerai à la radio demain !

Une femme arrive aux urgences d'un hôpital. Elle pousse des cris et semble avoir mal dans le bas du ventre. Le docteur qui l'examine trouve rapidement la source du problème : elle a un vibrateur coincé dans le vagin.

— Madame, j'ai une bonne et une mauvaise nouvelle pour vous. Nous allons pouvoir enlever le vibrateur qui est coincé dans votre vagin… mais…

— Non, non, non ! Je veux pas que vous l'enleviez. Je veux seulement savoir comment on change les batteries.

À la confesse, un adolescent s'accuse de s'être masturbé trois fois et demie.

Le curé lui dit :

— Comment, trois fois et demie ? Trois fois, je comprendrais, c'est la demie que je ne comprends pas.

— C'est parce que vous avez ouvert le carreau trop vite.

Un petit garçon de 13 ans a avalé plusieurs pilules de Viagra de son père. Il a été emmené à l'hôpital pour des brûlures au troisième degré aux poignets.

Quelle est la différence entre les hommes et les œufs?

— Les deux ne prennent que quelques minutes pour être durs, mais chez les œufs, ça dure.

Une mère sort avec son petit garçon et rencontre une de ses amies très belle.

La mère dit:

— Serge, embrasse la dame.

— Non, maman.

— Serge, obéis, c'est un ordre!

— J'ai dit non, maman!

— Fais pas ton vilain garçon! Pourquoi tu veux pas embrasser la dame?

— Parce que papa a essayé hier et il a reçu une claque sur la gueule.

Vous saviez que 25 % des hommes mariés disent au revoir à leur femme lorsqu'ils quittent leur maison ? Et que 75 % des hommes disent au revoir à leur maison lorsqu'ils quittent leur femme !

Le mariage est un dîner qui commence par le dessert.

La base d'un mariage solide est une incompréhension mutuelle.

Une prostituée est en train de faire une pipe à un client. Elle lui dit :

— Si tu ne me donnes pas 50 $, je te mords.

Il lui répond :

— Toi, si tu me donnes pas 100 $, j'pisse !

Un petit garçon rentre chez lui et dit à son père :

— Papa, papa ! Tu savais qu'on pouvait avoir des enfants avec une éprouvette ?

— Mais oui, je le sais ! J'en ai bien eu deux avec une cruche !

— Connais-tu la différence entre le taxi et l'autobus ?

— Non.

— Parfait, on va prendre l'autobus.

Mon voisin, c'est un malade ça : ma femme vient d'avoir un petit, puis y passe les cigares !

Une veuve : une prisonnière qui a fait son temps.

Un gars dit à son propriétaire :

— J'ai de l'eau dans ma cave.

Le propriétaire lui répond :

— Pour 150 $ par mois, qu'est-ce que tu veux ? du champagne ?

Qu'est-ce que tu donnes à un éléphant qui a de la diarrhée ?

— Beaucoup de place…

J'aime pas les chiens depuis que je suis allé à un bal masqué déguisé en borne-fontaine.

Quand tu dis à une femme que tu l'aimes, pourquoi est-ce qu'elle baisse la tête ? C'est pour voir si c'est vrai.

Un matin, ma belle-mère a couru derrière un camion de vidange. Elle a demandé au gars :

— Est-ce que je suis trop tard pour les vidanges ?

Le gars a répondu :

— Non, madame, embarquez !

La petite fille demande à sa mère :

— Maman, pourquoi tu as marié papa ?

La mère répond :

— Toi aussi tu te le demandes !

Elle était tellement laide que quand elle se déshabillait le soir avant de se coucher, c'est le gars de l'autre côté de la rue baissait sa toile.

Qu'est-ce que Bill Clinton dit à Hillary après avoir fait l'amour ?

— Je vais être à la maison dans vingt minutes.

La définition d'une lesbienne : Une femme qui essaie de faire le travail d'un homme.

Un homme échappe son portefeuilles dans le village gay à Montréal. Il est obligé de donner des coups de pied dessus jusqu'au boulevard Pie-IX, avant d'oser se pencher pour le ramasser.

Comment rendre une sœur enceinte ?

— Tu la déguises en enfant de cœur.

Deux Anglais sont en train de discuter. Joe demande à Harry :

— Comment est ta femme ?

Harry répond :

— Je vais te dire franchement, je pense qu'elle est morte.

— Qu'est-ce que tu veux dire par : « Je pense qu'elle est morte » ?

— Écoute, au lit c'est pareil, mais la vaisselle sale s'accumule dans l'évier !

Pourquoi les blondes sont-elles silencieuses en amour ?

— Parce qu'on leur a toujours dit de ne pas parler aux étrangers.

Comment savoir que votre maison a été cambriolée par un gay. Vos bijoux sont disparus et le ménage a été fait partout.

Une femme entre chez le boucher et demande de la viande hachée pour 150 $. Le boucher lui répond :

— Pourquoi voulez-vous acheter de la viande hachée pour 150 $?

— C'est pour me faire un homme.

— Pour vous faire un homme ? Je vais vous faire sauver de l'argent. À la place, achetez-vous une saucisse puis une tête de cochon !

Qu'est-ce que l'avocat a dit en se rendant compte qu'il avait pilé dans une crotte de chien ?

— Oh mon dieu ! j'suis en train de fondre !

Un gars paqueté entre dans un confessionnal. Il ne dit rien. Le prêtre tousse pour attirer son attention. Le gars ne dit toujours rien. Finalement, le prêtre frappe trois coups sur le mur pour attirer son attention. Le gars paqueté lui dit :

— Ça donne rien de cogner, y a pas de papier de toilette de mon bord non plus.

Un avocat dit à son client :

— J'ai une bonne puis une mauvaise nouvelle pour toi.

Le client demande :

— Qu'est-ce que c'est la mauvaise nouvelle ?

— Le résultat des prises de sang est sorti, ton ADN correspond exactement à celui trouvé sur les lieux du crime.

— Puis la bonne nouvelle, c'est quoi ?

— Ton cholestérol est descendu à quatre.

Un docteur dit a son patient, après l'opération :

— J'ai une bonne puis une mauvaise nouvelle.

— La mauvaise nouvelle, c'est quoi ?

— En vous opérant, ils vous ont amputé le mauvais pied.

— La bonne nouvelle, c'est quoi ?

— Votre autre pied est en train de guérir.

Quelle est la différence entre les politiciens et les couches pour bébé?

— Il n'y en a pas: les deux ont besoin d'être changés souvent et pour la même raison.

Un enfant noir revient de l'école, il dit à sa mère:

— Maman, j'ai la plus grosse quéquette de toute la troisième année, est-ce que c'est parce que je suis Noir?

La mère répond:

— Non, c'est parce que tu as 16 ans.

Un petit garçon entre dans la chambre de ses parents au moment où ils sont en train de faire l'amour. Le petit gars demande à sa mère:

— Qu'est-ce que tu fais maman?

— Papa est tellement gros que j'enlève l'air qu'il a dans le ventre.

— Ça donnera rien, la voisine va le resouffler encore une fois!

Un gars paqueté entre dans un restaurant et il commande des œufs. Le serveur passe la commande au chef. Le chef lui dit :

— Il me reste seulement deux œufs mais ils sont pourris.

Le serveur lui répond :

— Donne-moi-les quand même, il est assez paqueté, il ne s'en rendra même pas compte.

Après avoir mangé ses œufs, le gars paqueté paye sa note au serveur et lui demande :

— Où est-ce que vous prenez vos œufs ?

— On a notre propre poulailler.

— Avez-vous un coq ?

— Non.

— Vous êtes mieux de vous en acheter un, parce dans le moment, y a une bête puante qui fourre vos poules !

Un gars va voir son docteur et lui dit :

— Docteur, il faut que vous m'aidiez. J'ai des problèmes de vessie, j'ai d'la misère à me retenir.

Catastrophé, le docteur lui répond :

— Ôtez-vous de sur mon tapis !

Trois amis discutent entre eux de ce qu'ils aimeraient que les gens disent d'eux au salon funéraire, quand ils seront dans leur cercueil.

Le premier dit :

— Je voudrais les entendre dire que j'ai été un bon médecin et un homme de famille.

Le deuxième dit :

— J'aimerais les entendre dire que j'ai été un bon mari, un bon père et un professeur qui influencé la carrière de plusieurs de ses élèves.

Le troisième dit :

— J'aimerais les entendre dire : « Regardez, il vient de bouger ! »

Comment appelle-t-on un avocat avec un QI de 50 ?

— Votre Honneur !

Quel est le poids idéal pour un avocat ?

— À peu près trois livres, incluant l'urne.

Comment appelle-t-on un avocat qui a mal tourné ?

— Sénateur.

Un homme revient chez lui et trouve toutes ses valises devant la porte. Il entre et demande à sa blonde :

— Qu'est-ce qui se passe ?

— Je viens d'apprendre que tu es un pédophile et j'veux plus te voir.

— Pédophile, hé ben, c'est un grand mot pour une fille de 10 ans.

Un petit gars dit à son père :

— J'ai entendu dire que quelque part en Afrique les hommes ne connaissent pas leurs femmes avant le mariage.

Le père répond :

— Pas juste en Afrique !

S'ils ne le faisaient pas dans le mariage, les hommes et les femmes se chicaneraient avec des personnes extérieures, de purs étrangers.

Un petit gars demande à son père combien ça coûte de se marier ?

Le père répond :

— Je l'sais pas, j'paie encore !

Ne vous couchez jamais en chicane, restez debout et battez-vous !

Beaucoup d'hommes doivent leur succès à leur première femme et leur deuxième femme à leur succès.

Deux spermatozoïdes cheminent. L'un demande à l'autre :

— Est-ce que c'est encore loin, l'utérus ?

L'autre lui répond :

— Assez, oui, on vient juste de passer les amygdales !

Un camion de Viagra s'est renversé sur une autoroute : ça fait six kilomètres de queue !

Deux enfants sont devant la porte de la chambre de leurs parents. Le plus vieux regarde par le trou de la serrure, et l'autre lui demande :

— Qu'est-ce qu'ils font ?

— J'l'sais pas, puis j'comprends pas ça : c'est maman qui suce puis c'est papa qui dit que c'est bon !

Un gars fait paraître l'annonce suivante dans un journal : « Femme demandée ».

Le lendemain, il reçoit deux cents lettres disant : « Prenez la mienne ».

La meilleure façon de se rappeler de la fête de sa femme, c'est de l'oublier une fois.

Vous ne savez pas ce que c'est le vrai bonheur tant que vous n'êtes pas marié. Après, il est trop tard.

— Lu dans un journal : « À vendre : collection complète de l'*Encyclopédie Britannica* en 45 volumes. Excellente condition. En ai plus besoin, marié la semaine dernière : ma femme sait tout. »

Le mariage c'est comme un bain chaud. Une fois habitué, c'est pas mal moins chaud.

Un homme est en train de faire sa valise au moment où sa femme arrive. Elle lui demande :

— Où est-ce que tu t'en vas ?

— À Las Vegas, j'ai appris que là-bas on paye un homme 100 $ à chaque fois qu'il fait l'amour à une femme.

La femme commence à faire ses valises elle aussi. Le mari lui demande, tout surpris :

— Où vas-tu ?

— À Las Vegas avec toi, j'ai hâte de voir comment tu vas faire pour vivre avec 100 $ par mois.

Pendant l'amour, ma femme veut toujours me parler. Encore hier, elle m'a appelé du motel.

Un homme dit à son ami:

— Ma femme veut que je pratique un nouveau sport.

— C'est bien! Ça prouve qu'elle a ta santé à cœur. Est-ce qu'elle t'a fait une suggestion?

— Oui. Comment ça se joue ça, la roulette russe?

Ma femme a été très contente par notre jugement de divorce. C'est elle qui a eu la garde de l'argent.

Elle voulait le divorce parce qu'elle disait que son mari lui avait parlé seulement trois fois en cinq ans de mariage.

Elle a eu le divorce et la garde des trois enfants.

Il y a trois signes qui montrent qu'on est devenu vieux : le premier, la perte de mémoire, et les deux autres... j'les ai oubliés !

On est vieux quand ça nous prend plus de temps pour nous reposer que pour nous fatiguer.

La différence entre « Oooooooooohhhh ! » et « Aaaaaaaaahhh ! »

— À peu près deux pouces.

La différence entre un amant et un mari ?

— Quarante-cinq minutes.

Une dame riche décide de fêter sa fille. Pour la circonstance, elle engage un traiteur, un orchestre et un clown. Juste avant la fête, deux quêteurs frappent à sa porte pour demander la charité. La dame leur dit d'aller couper du bois et qu'elle leur donnerait de l'argent en retour. Entre-temps, la dame reçoit un téléphone du clown qui se décommande. Au même moment, elle regarde par la fenêtre et voit un des deux quêteurs qui fait une « sommarcette » par en avant, deux culbutes par en arrière, swigne d'une branche à l'autre et finit en faisant une split au pied d'un arbre.

La dame est impressionnée et elle appelle l'autre quêteur et lui dit :

— Votre ami est formidable, est-ce qu'il recommencerait son numéro ? Je lui donnerais 50 $.

— J'le sais pas, je vais lui demander.

Il appelle son ami et lui dit :

— Hey ! Willy ! te couperais-tu un autre orteil pour 50 $?

Un conseil : ne mangez pas de la neige jaune.

Avez-vous entendu celle du Père Noël juif ? Il descend par la cheminée la vieille de Noël et dit :

— Ho ! ho ! ho ! Est-ce qu'il y a quelqu'un qui veut acheter des jouets ?

Un couple fête son soixantième anniversaire de mariage. La femme dit à son mari :

— Tu sais, Henri, on devrait monter en haut et faire l'amour.

— Décide-toi, Germaine, moi j'peux pas faire les deux.

Un gars demande à sa blonde :

— Connais-tu la différence entre faire la conversation et faire l'amour ?

— Non.

— Couche-toi, j'veux te parler.

Pourquoi Dieu a-t-il créé l'Homme?

— Parce qu'un vibrateur ne peut pas tondre le gazon.

Donne un poisson à un homme, tu le nourris pour une journée.

Apprends-lui à pêcher, il va s'asseoir dans une chaloupe et boire de la bière toute la journée.

Et Dieu créa l'homme: les Italiens pour leur beauté, les Français pour leur gastronomie, les Allemands pour leur intelligence, et beaucoup d'autres.

Quand il regarda son œuvre, il se dit:

— Tout ça, c'est bien beau, mais personne ne s'amuse. Je pense qu'il va falloir que je fasse un Québécois.

Pourquoi est-ce que le lavoir n'est pas un bon endroit pour rencontrer une femme?

— Parce qu'une femme qui n'a pas les moyens de se payer une laveuse n'a certainement pas les moyens de faire vivre un homme.

Quelle est la différence entre le poing «G» et une balle de golf?

— Un homme peut passer vingt minutes à chercher une balle de golf.

— Je l'sais que ma femme est partie trotter.
— Comment tu sais ça, toi?
— Elle s'est fait une queue de cheval.

Deux femmes sont en train de jouer au golf. L'une des deux frappe sa balle qui, malheureusement, se dirige vers un groupe d'hommes qui jouaient sur le trou suivant. La balle frappe l'un des hommes. Immédiatement l'homme se plie en deux, les deux mains jointes à la hauteur de ses parties intimes. L'homme roule par terre tout en se tordant de douleur. La femme qui a frappé la balle arrive en courant, elle s'excuse et dit au monsieur qu'elle vient de frapper :

— Laissez-moi vous aider, je suis garde-malade, je sais quoi faire.

Le malheureux refuse en disant qu'il irait mieux dans quelques instants tout en continuant de se plaindre et en gardant toujours ses mains à la bonne place. La garde-malade insiste tellement qu'il finit par accepter. Elle lui enlève les mains délicatement, détache son pantalon, met sa main à l'intérieur et commence masser délicatement le patient. Au bout de quelques instants, elle lui demande :

— Comment vous sentez-vous ?

— Je me sens très bien, mais mon pouce me fait encore bien mal !

Une femme marche dans la rue. Un homme s'approche et lui dit :

— Excusez-moi, madame, mais votre sein gauche est sorti de votre blouse.

Elle dit :

— Bien ça parle au diable ! j'ai oublié le bébé dans l'autobus.

La définition de la confiance : Deux cannibales qui se font une pipe.

Quelle est la différence entre une putain et une salope ?

— Une putain couche avec n'importe qui, une salope avec n'importe qui, sauf avec toi.

La prostituée à la confesse:

— Mon père, j'ai commis le péché de la chair.

— Combien de fois, ma fille?

— Je l'sais pas, mon père: j'suis une prostituée, pas une comptable!

Une femme amène à la maison un homme qu'elle a rencontré dans un bar. Elle l'amène dans sa chambre. En se déshabillant, le gars demande à la dame:

— Quand est-ce que ton mari va revenir?

— Comment ça, «quand est-ce que mon mari va revenir?» Dis-moi pas que t'es gay!

Un monsieur raconte à son ami:

— Hier, la bonne est rentrée dans notre chambre au moment où je faisais l'amour à ma femme.

— C'est meilleur marché que si ça avait été le contraire!

La garde-malade dit au docteur :

— À chaque fois que je me penche pour prendre le pouls d'un patient, j'ai l'impression que le cœur lui débat plus vite.

— Boutonnez votre blouse, y vont être moins énervés !

L'infirmière se promène dans le corridor de l'hôpital. La garde-malade en chef lui dit :

— Garde Pelletier, vous avez un sein sorti de votre blouse.

— Ah, ces maudits docteurs ! Ils ne remettent jamais rien à leur place.

Une femme dit à un gars :

— J'veux bien faire l'amour, mais avec la lumière allumée.

Il lui répond :

— Veux-tu arrêter ça puis fermer la porte de l'auto !

Une belle blonde est sur la table d'examen du docteur. Il met sa main sur sa poitrine et il lui dit :

— Vous savez ce que je fais là ?

— Oui, vous vérifiez pour le cancer du sein.

Le docteur continue et tâte plus bas et lui dit :

— Vous savez ce que je fais là ?

— Oui, vous vérifiez mon appendicite.

Le docteur, énervé, profite de la situation, il se déshabille et lui fait l'amour. En pleine action, il lui demande :

— Vous savez ce que je fais, là ?

— Oui, docteur : vous vérifiez pour voir si j'ai une maladie vénérienne. C'est justement pour ça que je suis venue vous voir.

Un homme se rend dans une pharmacie et demande au pharmacien :

— Je voudrais un sexatif.

— Vous voulez dire un laxatif.

— Non, non, un sexatif : j'veux pas y allez, j'veux venir.

Une fille entre dans un magasin de sport et demande au vendeur :

— Je voudrais acheter un « jockstrap » pour mon ami.

— Est-ce qu'il est à peu près bâti comme moi ?

— S'il était bâti comme toi, ça ferait longtemps que je l'aurais sacré là !

JANOTISMES

« Parapluies pour homme à gros manche. »

« Vente de parapluies ouvert jusqu'à 9 heures. »

« À vendre : Montre de poche ayant appartenue à un ministre avec le derrière émaillé. »

« Je veux un sirop pour ma grand-mère qui est malade dans une petite bouteille. »

« À vendre : Beau vélo pour homme à huit vitesses. »

« Perdu : Peigne pour homme avec des dents cassées. »

Quand une vache rit, est-ce que le lait lui sort par les narines ?

Pourquoi y a-t-il une date d'expiration pour la crème sûre.

Il ne faut jamais se décourager, il y a des jours où vous êtes le chien et d'autres où vous êtes la borne-fontaine.

Il y a des jours où vous êtes la bibite et d'autres où vous êtes le pare-brise.

Les pilules anticonstitutionnelles sont déductibles d'impôts seulement si elles n'ont pas marché.

Le bon Dieu a créé l'alcool pour que les femmes laides puissent aussi avoir des relations sexuelles.

Qu'est-ce que vous obtenez quand vous mélangez de l'eau bénite avec de l'huile de ricin?

— Un mouvement religieux.

Un économiste, c'est un expert qui va savoir demain pourquoi les choses qu'il a prédites hier ne se sont pas produites aujourd'hui.

— Docteur, est-ce que je vais mourir?

— Mourir, c'est la dernière chose que vous allez faire.

Un homme est conduit aux urgences d'un l'hôpital. Il vient de se faire couper les dix doigts par une scie mécanique. Le docteur lui dit :

— Vous êtes chanceux ! Aujourd'hui tout est possible : grâce à la microchirurgie, on va pouvoir vous les recoudre. Aucune cicatrice ne paraîtra, rien ! Donnez-moi vos doigts, je vais les recoudre.

— Voyons donc ! J'les ai pas pantoute ! Avec quoi et comment j'aurais pu les ramasser ?

Une femme dit à son docteur :

— Docteur, ça fait six mois que mon mari se prend pour une tondeuse à gazon.

— Vous auriez dû me l'amener avant.

— J'pouvais pas : le voisin vient juste de me le ramener.

Méfiez-vous d'un docteur qui veut prendre votre température avec son doigt !

Un homme se présente dans un grand magasin. Il dit au vendeur :

— Je vous rapporte la cravate que j'ai achetée hier.

— Vous n'aimez pas la couleur ?

— Non, c'est pas ça, c'est parce qu'elle est trop serrée !

Un homme est venu à Montréal pour visiter la ville. Il demande au concierge de l'hôtel à quelle heure sont les repas. Celui-ci lui répond :

— Le déjeuner est servi de 7 heures à 11 heures, le dîner de 12 heures à 3 heures, et le souper de 6 heures à 8 heures.

Le touriste se tait puis dit :

— Quand est-ce que je vais avoir le temps de visiter la ville ?

Pourquoi donne-t-on du Viagra aux vieux dans les maisons de retraite ?

— Pour les empêcher de rouler en bas du lit.

Pourquoi le cerveau des femmes est meilleur marché que celui des hommes ?

— Parce que le cerveau des femmes a déjà servi.

Une femme se présente chez l'armurier. Elle lui dit :

— Je voudrais un revolver pour mon mari.

— Est-ce que votre mari vous a dit quel calibre il veut ?

— Il ne m'a rien dit, il ne sait même pas que je vais le tirer !

Un homme et sa femme sont couchés et regardent l'émission *Who wants to be a Millionaire?* Le mari demande à sa femme :

— Veux-tu faire l'amour ?

Sa femme répond : « non ». Il lui demande à nouveau :

— Est-ce que c'est ta réponse finale ?

— Oui !

— Je voudrais appeler une amie...

Une femme fait remarquer à son amie :

— Toi et ton mari ne semblez pas avoir beaucoup de choses en commun. Pourquoi vous êtes-vous mariés ?

— Parce que les contraires s'attirent. Il n'était pas enceinte, puis moi je l'étais.

Le bébé serpent demande à sa mère :

— Est-ce qu'on est venimeux ?

La mère lui répond :

— Pourquoi tu me poses cette question ?

— Parce que je viens de me mordre la langue.

Définition du blé d'Inde : « Le légume le plus cochon au monde. Tu le déshabilles, arraches le poil, manges la graine, suces le coton. »

Pourquoi on dit que les femmes ont des pouvoirs surnaturels ?

— Parce qu'elles arrivent à faire lever une chose sans la toucher.

Pourquoi est-ce que les blagues sur les femmes ne prennent que deux lignes ?

— Pour que les hommes puissent les comprendre.

Une femme dit à son médecin :

— Docteur, je ne comprends pas. Mon mari est venu vous voir il y a deux mois, parce qu'il avait mal à la tête. Depuis ce temps-là, il arrive tard le soir, il est parti toute la fin de semaine. Il ne me regarde quasiment plus jamais.

— Je ne comprends pas. Tout ce que j'ai fait, c'est de lui changer ses lunettes.

J'sais pas si les poissons doivent attendre deux heures pour nager après avoir mangé ?

Un homme a croisé une patate avec une éponge. Ça goûte le diable, mais ça contient beaucoup de sauce.

Rappelez-vous qu'un ordinateur ne peut pas penser tout seul. C'est comme n'importe quel employé de bureau.

Ce que j'haïs à l'opéra ce sont les chanteurs, ils me réveillent tout le temps !

J'aime ça aller à l'opéra, j'aime ça revenir de l'opéra. Ce que j'haïs c'est de rester là, pendant l'opéra.

J'ai jamais entendu chanter mal de même depuis que j'suis allé au zoo et qu'un orignal s'est assis sur un porc-épic.

Ils ont tout amélioré à la télévision : le son, l'image... La seule chose qu'ils n'ont pas améliorée, ce sont les programmes !

La télévision, c'est quelque chose à faire pendant qu'on fait rien.

J'ai été dans un bal masqué habillé en Jeanne d'Arc, ils m'ont assis sur le barbecue.

Ne mangez jamais dans un restaurant qui offre comme dessert un soufflé au Pepto-Bismol.

Ma femme m'appelle et elle me dit :

— Il y a de l'eau dans le carburateur.

Je lui réponds :

— Où est l'auto ?

— Dans le fleuve.

J'ai des problèmes avec mon automobile : le char part pas, puis les paiements arrêtent pas.

La meilleure façon de combattre les bandits, c'est de ne pas voter pour eux-autres !

Je connais le maire d'une grande ville. Il est assez croche, il a son bureau en dessous de la table.

La semaine dernière, j'ai remarqué que mes gencives refoulaient. J'comprends, j'me lavais les dents avec de la préparation H.

J'ai dit à mon garçon : « Finis ta viande et tu deviendras pareil comme ton père. » Depuis ce temps-là, il ne mange que des légumes !

J'ai demandé à mon psy de me donner un côté positif de toutes mes visites. Il m'a montré sa nouvelle Porshe.

J'm'habille tellement mal que ma femme veut pas qu'on sache que j'suis avec elle. Quand je lui ouvre la porte de l'auto, elle me donne un pourboire.

Je travaille dans une manufacture de chaussures avec 82 femmes.

— Qu'est-ce que tu fais ?

— Je fais l'étalon.

Sais-tu combien de temps un gars peut vivre sans cerveau ?

— J'sais pas. Quel âge as-tu, toi ?

Pour un homme, c'est vraiment pas drôle d'avoir des pieds qui piquent. Mais c'est encore pire pour une femme quand ça pique entre les deux gros orteils.

Annonce accroché à la porte d'une église: « Dimanche, messe à 11 heures. Arrivez tôt si vous voulez des places en arrière. »

Un mari revient à la maison après plusieurs mois d'absence et trouve sa femme enceinte. Choqué, il demande à sa femme:

— Qui est-ce qui t'a fait ça?

— Est-ce que c'est mon ami Robert?

— Non.

— Est-ce que c'est mon ami Raymond?

— Non.

— Est-ce que c'est mon ami Lucien?

— Non. Écoute donc! Penses-tu que je ne peux pas avoir des amis moi aussi?

Un voyageur de commerce s'installe dans un hôtel. Il se met à lire la Bible. Au bout d'un moment, il dépose le livre et descend au bar. Il entame une conversation avec la fille du vestiaire. Il attend qu'elle ait fini son travail et l'amène dans sa chambre. Après deux ou trois verres, il commence à lui enlever sa blouse. Elle lui demande :

— Êtes-vous certain que c'est bien ce qu'on fait là ?

— Oui, certainement. C'est même écrit dans la Bible.

— Dans ce cas-là, c'est parfait.

Ils passent la nuit ensemble. Le lendemain matin, en se rhabillant, elle demande :

— Je ne me rappelle pas d'avoir lu dans la Bible que c'était bien de faire ce qu'on a fait. Pouvez-vous me montrer où c'était écrit ?

Le voyageur prend la Bible, l'ouvre et lui montre ce que quelqu'un avait écrit au crayon dans la marge. La fille du vestiaire marche.

Un couple de jeunes sort du balcon d'un cinéma. Le gars dit :

— C'était formidable, j'sais pas si le film était bon.

Un gars demande à un de ses amis :

— Qu'est-ce que tu penses de mon habit ? C'est une surprise de ma femme. Je l'ai trouvé sur le dossier d'une chaise quand je suis revenu de voyage une journée avant le temps.

Une dame dit à sa bonne :

— Je pense que mon mari est amoureux de sa secrétaire.

La bonne répond :

— Vous dites ça juste pour me rendre jalouse !

— Si un jour tu dois me tromper, j'veux que tu me le dises une journée avant.

— Maudit, t'aurais dû me dire ça hier !

Une femme raconte à son amie :

— J'ai surpris mon mari qui embrassait sa secrétaire et il m'a acheté une nouvelle robe !

— Est-ce que tu as renvoyé sa secrétaire ?

— Non, j'ai besoin d'un nouveau manteau de fourrure !

Un mari en colère rentre chez lui et attrape sa femme :

— J't'ai dit de plus revoir ce salaud de Jean !

— C'est vrai, tu me l'as dit.

— J't'ai dit que je ne voulais pas qu'il remette les pieds ici !

— C'est vrai.

— Alors, pourquoi est-il venu ici cet après-midi ?

— Écoute, mon chéri…

— Non ! Il est venu ou il n'est pas venu ?

— Il est venu, mais il n'a fait qu'entrer et sortir.

— Je travaillais pour la compagnie de saucisses La Belle Fermière. J'étais modèle.

— Comme j'te connais, ça devait être pour les saucisses cocktail.

Oh ! je t'aime, j'aimerais que le monde entier le sache... sauf ma femme !

Au salon funéraire, un homme dit à la veuve :

— Comme dans le faire-part c'était marqué : « Ni fleur ni couronne, ni messe », j'ai apporté des chocolats.

Entendu dans une salle de cinéma plongée dans le noir :

« — Non, j'suis pas froid comme de la glace, c'que tu as dans la main, c'est mon popsicle. »

— Veux-tu que je mette mon doigt dans ton nombril?
— Oui!
Au bout d'une seconde:
— Hé! c'est pas mon nombril!
— C'est pas mon doigt non plus!

Avare...

Il était tellement cheap qu'il parlait du nez pour ne pas user son dentier.

Je lui ai donné quelque chose pour sa garde-robe... Des boules à mites.

Une femme dit à son amie:
— Tu portes ton alliance dans le mauvais doigt.
Réponse:
— Je sais, mais j'ai marié le mauvais gars!

Un père dit:

— Pour la fête des Pères, j'ai eu les factures pour la fête des Mères.

La strip-teaseuse dit à son docteur:

— Je voudrais être vaccinée où ça se verrait pas.

— Très bien, sortez la langue.

Un gars s'assoit à table et dit:

— Que ça a l'air bon, ton poulet! Qu'est-ce que tu as mis dedans, chérie?

— Rien: il était déjà plein!

Mes pneus sont assez usés, la plupart des conducteurs ont peur des clous, moi j'ai peur des maringouins.

— Pourquoi avez-vous donné un coup de pied dans le ventre à votre belle-mère?

— Parce qu'elle s'est retournée!

Dans un hôpital, une infirmière est tellement occupée, qu'elle n'a pas le temps de s'arrêter pour le lunch. Elle demande à un interne s'il peut lui rapporter un hot-dog. Quelques minutes passent et l'interne vient lui dire:

— Voici votre hot-dog.

L'infirmière regarde le «hot-dog» en question et s'exclame aussitôt:

— Mais ce n'est pas un hot-dog, ça! C'est un thermomètre rectal!

Réponse de l'interne tout surpris:

— Un thermomètre rectal? Ah mais c'est pour ça que madame Pelletier gigotait quand je lui ai pris sa température!

Définitions

Ambulance : « Panier à malades ».

Oignon : « Souvenir de famille qui fait boiter et pleurer ».

Pieds : « Partie du corps dont on se sert pour vous dire quelle est votre pointure de soulier ».

Beigne : « Biscuit qui a du sexe-appeal ».

Un homme vient de finir de se raser le matin. Il dit :

— Chaque fois après mon rasage, j'me sens rajeuni de dix ans !

Sa femme lui répond aussitôt :

— Eh bien, tu devrais te raser avant de te coucher.

Utile comme un joueur de banjo dans la *Cinquième* de Beethoven.

Joe:

— Ça fait combien de temps que tu n'as pas fait l'amour?

— Ça fait combien de temps que ta femme est partie en voyage?

Tu parles d'un hôtel! La première semaine, une vache est morte, on a mangé du bluff toute la semaine. La deuxième semaine, un cochon est mort, on a mangé du porc toute la semaine. La troisième semaine, le gérant est mort. Là, j'ai sacré mon camp!

L'air dans la ville est tellement pollué, que je sais maintenant pourquoi les oiseaux dorment rien que sur une patte: ils se servent de l'autre pour se boucher le nez.

Moi personnellement, j'ai jamais fait confiance à la Chine. Un pays qui a un milliard trois cent millions d'habitants et qui essaie de me faire croire que leur sport préféré c'est le ping-pong, peut mentir à propos de n'importe quoi !

Un milliard trois cent millions d'habitants en Chine, coudon ! Y'on jamais mal à la tête eux-autres !

Selon les derniers calculs, 180 millions d'arbres ont été coupés pour fournir le papier nécessaire à l'impression de livres qui nous mettent en garde contre le gaspillage de nos ressources naturelles !

J'ai acheté une nouvelle bicyclette à mon fils pour sa fête et je l'ai cachée où il ne la trouvera jamais : dans la salle de bain.

Je commence à penser que mon boucher n'est pas très, très honnête. Hier, il y a une mouche qui s'est posée sur sa balance : elle pesait 4 livres et demie.

Les joueurs d'échec restent assis pendant des heures à se regarder, sans parler, sans bouger un muscle. On a le même spectacle à Ottawa, mais on appelle ces joueurs-là des fonctionnaires.

Excusez-moi, mademoiselle ! Normalement, je ne parle pas aux jeunes filles que je ne connais pas, mais j'm'en vais à la confesse puis j'manque de péchés.

J'suis très inquiet : la semaine passée, c'est moi qui ai attrapé le bouquet dans les funérailles.

J'ai eu rien qu'un accident dans ma vie. J'suis rentré avec mon auto dans la barrière d'un camp de nudistes. Quelqu'un est sorti en courant et m'a dit :

— Pourquoi vous regardez pas où vous allez ?

— J'pouvais pas, j'étais trop occupé à aller où je regardais.

Un souper d'élection :

Tu loues un tuxedo 150 $, ta femme s'achète une robe de 600 $, tu payes 400 $ pour le souper. Tout ça pour élire un politicien qui vaut pas 5 cents.

Problème quand tu engages une femme libérée qui ne porte pas de soutien-gorge à ton bureau ! C'est possible qu'elle travaille bien, mais c'est certain que les gars ne travailleront pas.

Ma femme a acheté une jupe en cuir de vache ; moi j'ai acheté un manteau en cuir de bœuf. Maintenant on ne prend pas de chance : avant d'ouvrir la porte de la garde-robe, on frappe.

J'suis allé dans une nouvelle rôtisserie, j'ai payé 14, 95 $ pour une cuisse. C'est la première fois que ça me coûte un bras pour avoir une cuisse.

J'ai abandonné le jardinage quand j'ai compris que le secret pour un pouce vert, c'est les genoux bruns.

J'ai compris pourquoi ma femme puis moi on n'est pas capables d'avoir le même train de vie que nos voisins : ils sont sur le B.S.

Une dame âgée se plaint à son médecin qu'elle a toutes sortes de problèmes avec sa santé. Après l'avoir examinée, le médecin lui dit :

— Madame, ne vous en faites pas. Je vais m'occuper de vous. Vous allez voir qu'avec moi, vous allez rajeunir de vingt ans.

— Dans ce cas-là, docteur, laissez faire. Je n'ai pas envie de perdre ma pension de vieillesse !

Un cultivateur, qui avait l'habitude de sacrer, se confesse à son curé. Comme pénitence, le curé dit au gars de se mettre une poignée de terre dans la bouche à chaque fois qu'il sacre. Au bout d'une semaine, le cultivateur retourne voir le prêtre et lui dit :

— Monsieur le curé, vous n'auriez pas autre chose à me donner comme pénitence ? Parce que, comme ça va là, je suis en train de manger ma terre.

Un vendeur d'ordinateurs dit à un président de compagnie :

— Monsieur, ce nouveau modèle-là peut faire jusqu'à la moitié de votre travail à lui tout seul !

— Dans ce cas, je vais en prendre deux !

Un homme vient de faire une crise cardiaque. Son médecin lui prescrit une cure de repos très sévère. Le docteur lui interdit aussi la cigarette, la boisson et les sports violents. Le patient lui demande :

— Mais docteur, est-ce que je vais au moins avoir le droit de faire l'amour ?

— Oui, mais seulement avec votre femme. Il ne faut surtout pas que vous ayez des émotions fortes.

Une femme demande à son mari :

— Est-ce que tu m'aimes par amour ou par intérêt ?

— Ça doit être par amour, parce que ça fait longtemps que tu ne m'intéresses plus.

C'est un petit vieux qui somnole dans le salon. Il voit soudain un orignal à l'autre bout de son jardin et il le dit à sa vieille, qui est dans la salle de bain :

— Hé ! la mère ! Regarde dehors, il y a un orignal au fond du jardin !

— Ce n'est pas un orignal, niaiseux ! C'est une vache.

— Hé ! je t'ai dit de regarder par la fenêtre, pas dans le miroir !

Une femme, très légèrement vêtue, est en train de prendre un bain de soleil au balcon. Son mari lui dit :

— Tu pourrais t'habiller un peu quand même ! Qu'est-ce que les voisins diraient s'ils me voyaient couper le gazon habillé comme toi ?

— Ils diraient que je t'ai marié pour ton argent !

Si vous comptez appliquer l'adage : « On n'apprend bien que par ses erreurs », alors le parachutisme n'est pas pour vous.

Vous connaissez l'histoire de la blonde qui est devenue folle ? non ?

— Elle a travaillé dans un bordel pendant six ans et puis elle a découvert que toutes les autres filles se faisaient payer !

C'est une blonde qui entre dans un bar. Elle s'approche du barman et lui demande à l'oreille :

— Pourrais-je savoir où sont vos toilettes ?

Le barman lui répond :

— De l'autre côté !

Alors, la blonde change de place et lui demande dans l'autre oreille :

— Où sont vos toilettes ?

Deux amis discutent :

— Tu devrais rencontrer ma femme. Elle est médium et elle peut me dire l'avenir.

— Ben, t'en as de la chance, toi. La mienne est extra large : elle ne me dit plus rien.

Pourquoi est-on sûr maintenant que la bière contient des hormones sexuelles féminines ?

— Parce qu'après en avoir consommé une bonne quantité, on se met à parler pour ne rien dire, on ne sait plus conduire sa voiture et on finit même parfois par être obligé de pisser assis.

Madame est en train d'engueuler la bonne. Mais l'employée est tannée et décide de lui dire ses quatre vérités :

— J'en ai assez, madame, que vous soyez toujours sur mon dos. Votre mari lui-même m'a dit que j'étais meilleure femme d'intérieur que vous, meilleure cuisinière que vous et que je m'occupais des enfants mieux que vous. En plus, il trouve que je suis plus jolie. Et ce n'est pas tout : je suis meilleure que vous au lit !

— Quoi ? Mon mari a osé vous dire que vous faites l'amour mieux que moi ?

— Non. Ça, c'est le jardinier qui me l'a dit !

Une chatte enrhumée entre dans une pharmacie :
— Je voudrais du sirop pour ma toux !

Pourquoi les chauves portent-ils toujours des pantalons dont le fond des poches est troué ?
— Pour pouvoir se passer les doigts dans les cheveux.

Quelle est la différence entre un Anglais qui décolle son papier peint et un Écossais qui fait la même chose ?
— L'Anglais refait la décoration, l'Écossais déménage !

Quelle est la partie de Popeye qui ne rouille pas ?
— Celle qu'il trempe dans l'huile d'olive.

Le détecteur de mensonges existe, je l'ai épousé !

Une femme dit à son psychanalyste :

— Docteur, c'est vraiment affreux ! Les gens me prennent pour une nymphomane !

— Je vois, madame. Attendez, je vais prendre quelques notes sur votre cas... Dites, si vous voulez bien lâcher mon sexe, je serais plus à l'aise pour écrire !

Un fiancé se rend chez le médecin pour chercher les résultats des analyses de la visite prénuptiale. Le docteur lui dit :

— Asseyez-vous, mon cher monsieur. J'ai deux nouvelles pour vous : une bonne et une mauvaise. La mauvaise, c'est que votre fiancée a une syphilis !

— Hein ! ça se peut pas, docteur !

— Attendez ! attendez la bonne nouvelle !

— Ben, c'est quoi la bonne, docteur ?

— Sa syphilis, votre fiancée ne l'a pas attrapée de vous !

Un gars est engagé chez GM pour vanter les mérites de la nouvelle Chevrolet aux concessionnaires et aux vendeurs. Il commence son discours en disant :

« Je viens vous vanter les qualités de la nouvelle Chevrelo. La Chevrelo quatre portes, ou la Chevrelo deux portes... En somme, tous les modèles Chevrelo. »

Partout où il fait son discours, c'est la même chose, il parle toujours de « Chevrelo » plutôt que de Chevrolet. Au bout de quelques semaines, la direction n'en peut plus. Elle congédie le nouvel employé. Abattu, l'homme arrive chez lui et dit à sa femme :

— Pas de chance, chérie, ils m'ont congédié.

— Encore ? Mais pour quelle raison, cette fois ?

— J'l'sais pas. Ça recommence pareil comme chez Tayato.

La banqueroute personnelle est une procédure légale par laquelle vous mettez votre argent dans les poches de votre pantalon et vous donnez votre chemise à vos créanciers.

Deux femmes sont en train de parler. L'une d'elle vient d'accoucher de jumeaux et elle explique à son amie :

— Tu sais, des jumeaux, ça n'arrive qu'une fois toutes les trois mille cinq cents fois.

Son amie étonnée lui dit :

— Trois mille cinq cents fois ? Mais quand est-ce que tu trouvais le temps de faire ton ménage ?

Il est incontestable que de tous les arts, l'art culinaire est celui qui nourrit le mieux son homme.

Les maris, c'est comme les enfants : ils sont toujours adorables quand ce sont ceux des autres.

Les conneries c'est comme les impôts, on finit toujours par les payer.

C'est vraiment trop bête que les seules personnes qui sachent comment diriger le pays soient occupées à conduire des taxis et à couper des cheveux.

Depuis que j'ai une maîtresse que j'aime, je n'ai plus envie de tromper ma femme.

Mon cerveau ? C'est mon second organe préféré.

Un baiser est une demande adressée au deuxième étage pour savoir si le premier est libre.

Une jeune mariée écrit au courrier de Louise Deschatelets :

« Chère Louise,

J'ai marié un maniaque sexuel. Mon mari ne me laisse jamais tranquille. Il me fait l'amour toute la nuit, tout le temps. Dans la douche, pendant que je prépare les repas, pendant que je fais le ménage, quand je fais le lit, quand je lave les vitres. Pourriez-vous me dire quoi faire ?

Excusez l'écriture, le v'là encore… »

La femme adultère :

Chez les Égyptiens, on lui coupait le nez ; chez les Romains, on lui tranchait la tête ; chez les Saxons, on la brûlait vive ; un événement récent nous a rappelé au monde entier que selon la loi islamique on doit la lapider jusqu'à mort... Au Québec ?... Aujourd'hui au Québec, *on rit de son mari.*

Le mariage est comme le restaurant : à peine on est servi qu'on regarde dans l'assiette du voisin.

La justice militaire est à la justice ce que la musique militaire est à la musique.

Ne dites pas de mal de la masturbation : c'est le meilleur moyen de faire l'amour avec quelqu'un qu'on aime !

Pour faire un bon mariage, il faut que le mari soit sourd, et la femme aveugle.

Une fois que vous avez réussi à faire rire les gens, ils vous écoutent, et là, vous pouvez leur dire n'importe quoi.

La fortune ne vient pas en dormant seul.

J'étais tellement laid quand j'étais petit, que mon père avait gardé dans son portefeuille la photo des enfants qui étaient dedans quand il l'avait acheté.

Un psychanalyste est quelqu'un qui vous pose beaucoup de questions en vous demandant beaucoup d'argent. Ces questions, votre femme vous les aurait posées pour rien.

La preuve irréfutable qu'il existe de l'intelligence sur les autres planètes, c'est qu'ils n'ont *jamais* cherché à entrer en contact avec nous.

Au royaume des aveugles, les borgnes sont mal vus.

« Je suis aveugle, mais on trouve toujours plus malheureux que soi... Tenez, j'aurais pu être Noir ! »

(Ray Charles)

Les femmes ont besoin d'une raison pour faire l'amour, les hommes ont juste besoin d'un endroit.

Définitions de la réussite et du succès selon les âges de la vie

À 3 ans: la réussite, c'est de réussir à ne plus pisser dans sa couche.

À 17 ans: la réussite, c'est de réussir à faire l'amour.

À 25 ans: la réussite, c'est le diplôme et le mariage.

À 35 ans: la réussite, c'est la famille et la carrière professionnelle.

À 45 ans: la réussite, c'est la carrière professionnelle et la famille.

À 55 ans: la réussite, c'est les diplômes et les mariages.

À 65 ans: la réussite, c'est de réussir à faire l'amour.

À 85 ans: la réussite, c'est de parvenir à ne plus pisser dans sa couche.

Quelle est la différence entre un redressement d'impôts et une circoncision?

— À la circoncision, ils ne te prennent que 10 %.

Pourquoi les joueurs de cornemuse marchent-ils tout en jouant de leur instrument ?

— Pour s'éloigner du bruit.

Un homme demande à son médecin :

— Je voudrais passer un examen général, je voudrais connaître mon état de santé.

— J'peux déjà vous dire que vous faites de l'amnésie puis du diabète.

Le patient n'en revient pas.

— Comment pouvez-vous me dire sans examen que je fais de l'amnésie et du diabète ?

— C'est pas compliqué : vous avez oublié de remonter votre fermeture Éclair puis il y a une guêpe qui tourne autour.

Quelle est la salle la plus érotique d'un hôpital ?

— La salle de plâtrage, parce que c'est là que l'infirmière mouille et que le chirurgien bande.

Une femme vient consulter son médecin :

— Docteur, c'est affreux, mon mari est impuissant !

Le médecin lui donne une prescription et lui dit :

— Calmez-vous, madame ! Allez acheter ce sirop miracle à la pharmacie, vous verrez !

La femme s'en va immédiatement acheter le sirop prescrit et, le lendemain, en état d'excitation, elle revient voir le docteur :

— Ah, docteur ! c'est épouvantable ! Après avoir pris le sirop, mon mari a baisé la brigadière qui fait traverser les enfants devant chez nous, la concierge, la voisine d'en face, celle d'en dessous, l'épicière, deux religieuses et moi-même !

— Combien de cuillerées en avait-il prises ?

— Il avait pris toute la bouteille ! d'un seul coup !

— Ah, mon Dieu ! Et, en ce moment, où est-il ?

— Ah, docteur ! à la morgue ! Ils sont en train de le masturber pour pouvoir fermer le cercueil !

Quels sont les premiers mots d'un bébé-éprouvette à son père ?

— Salut, crosseur !

Pourquoi a-t-on surnommé Pamela Anderson « la station service » ?

— Parce que : 1° pour les jambes, c'est ordinaire, 2° pour la poitrine, c'est super, 3° pour la tête, c'est sans plomb !

Quelle est la différence entre une femme et une petite amie ?

— Vingt kilos !

Qu'y a-t-il de commun entre un jeune chiot et un gynécologue myope ?

— Tous deux ont le nez humide !

Quelle est la différence entre un mari et un petit ami?

— Vingt minutes!

Pourquoi le Père Noël a-t-il peu de chance d'avoir des enfants?

— Parce qu'il ne vient qu'une fois par année.

Si on s'accroche un poids d'un kilo avec une corde à la couille gauche, et un poids de deux kilos à la couille droite, quelle est la corde qui va casser en premier?

— La corde vocale!

Pourquoi les femmes choisissent-elles toujours des hommes grossiers et immatures qui passent leur temps à boire de la bière en regardant le hockey à la télé?

— Parce qu'il n'y en a pas d'autres.

Un brave homme se présente chez son médecin :

— Voilà, docteur : je ne sais pas ce qui m'arrive. Figurez-vous que tous les matins, je suis pris d'un besoin très fort à 7h30 précises. Tous les matins et à la même heure !

Admiratif, le docteur s'exclame :

— Eh bien ! c'est formidable, ça ! Si vous saviez le nombre de gens qui viennent me consulter pour le contraire ! Vous êtes un homme parfaitement équilibré, voilà tout. Tous les jours à la même heure, c'est extraordinaire, ça ! Votre organisme est très, très bien réglé ! Tant mieux pour vous ! Tiens, je vous envie, moi !

Le brave homme lui répond :

— Le vrai problème, docteur, c'est que je ne me lève qu'à 8 heures !

Pourquoi la tour de Pise est-elle penchée ?

— Parce qu'elle a été construite avec de la chaux du pays et que la chaux de Pise ne permet pas l'érection parfaite.

Les femmes, c'est comme les patates : une fois que t'as goûté aux nouvelles, tu veux plus des anciennes, des vieilles.

Qu'est-ce qui est dur et long chez les Noirs ?

— Les études secondaires.

Quelle est la définition de l'éternité ?

— C'est le temps qui passe entre le moment où vous venez et où elle part.

Une femme dit à son médecin :

— À chaque fois que mon mari me regarde, il a envie de vomir.

— Au moins, il a une bonne vue.

Une femme va consulter son médecin. Celui-ci lui dit :

— Bonne nouvelle, vous êtes enceinte !

— Encore ? Ça va faire la septième fois !

— Votre mari devrait prendre des précautions.

— Mon mari en prend, lui, mais c'est les autres qui en prennent pas !

Un homme confie à son psychiatre :

— Ma femme mène une double vie, docteur.

— Ah oui ?

— Oui, oui : la sienne et la mienne !

Un homme vient consulter le docteur. Celui-ci lui demande :

— Vous avez des enfants ?

— Moi ? J'comprends, j'en ai seize !

— Seize ! Avec la même ?

— Avec la même, oui , mais pas avec la même femme !

Une dame entre dans une pharmacien :

— Bonjour, monsieur ! Je voudrais du savon à la chlorophylle.

— À la chlorophylle ?

— Oui. Vous savez, le savon vert.

— Je sais, madame, mais dans le moment je n'en ai pas, j'en aurai demain.

— Malheureusement, demain je ne pourrai pas passer. Je vais vous envoyer mon mari. Vous allez le reconnaître sans aucun problème : c'est un grand blond avec une moustache verte !

Un médecin demande à un patient :

— Comment ça se fait que vous avez les ongles aussi sales ?

— Je me gratte !

Un moment embarrassant c'est quand tu regardes par le trou d'une serrure et que tu vois un autre œil.

Une femme vient consulter le docteur.

— Alors, madame, qu'est-ce qu'y a qui ne va pas?

— Eh bien, docteur... Ça me démange où vous imaginez.

— Je vais regarder ça!

Le docteur examine sa cliente et déclare:

— Pas de doute, c'est une salpingite!

— Ah! Une sal... sal...

— Salpingite.

— Salpingite!... Ah bon! Et ça vient d'où, ça, docteur, une... salpingite?

— Ça vient du grec.

— Le Grec! Je l'savais que c'était un maudit cochon!

Un homme vient consulter un médecin.

— Docteur, je viens vous voir au sujet de ma femme. Nous sommes jeunes mariés et... à chaque fois qu'on fait l'amour, elle se passe de la crème fraîche sur le sexe!

— Il n'y a rien de dangereux là-dedans.

— Peut-être, mais j'ai engraissé de 20 livres en un mois!

Le docteur m'a dit d'éviter les foules, j'ai acheté deux billets pour les Expos.

Une femme entre dans un club avec un chihuahua en laisse. Elle s'assoit au bar avec le chien à ses pieds. Un ivrogne à côté d'elle se penche et vomit sur le chien. Il regarde ensuite par terre et voit le chien tout couvert de vomissures et qui se secoue. Tout surpris, l'ivrogne s'écrie :

— Ça parle au maudit ! j'me rappelle pas d'avoir mangé ça !

Dans la rue, un gars rencontre une prostituée. Il lui demande :

— C'est combien pour une masturbation ?

— Vingt-cinq dollars pour toi, mon chéri. En veux-tu une ?

— Non, non, j'veux juste savoir combien je sauve si je fais ça moi-même.

Un homme appelle au cabinet d'avocat Guérin, Guérin, Guérin et Guérin. Il demande:

— Je voudrais parler à maître Guérin, s'il vous plaît.

On lui répond:

— Il est à l'extérieur.

— Alors, passez-moi maître Guérin.

— Il est à son dîner.

— Bien alors, passez-moi maître Guérin.

— Désolé, il a pris sa retraite.

— Dans ce cas-là, passez-moi maître Guérin.

— C'est moi!

Lors d'un sondage, on demande à une vieille dame:

— Pensez-vous qu'il y a trop de sexe au cinéma?

— Moi j'l'sais pas. Je m'assois dans la première rangée en avant, et ce qui se passe en arrière ça ne me regarde pas.

Quand je suis allé au Yankee Stadium, j'étais assis tellement haut que, j'étais le seul dans ma rangée qui n'avais pas de harpe.

La supérieure d'un couvent vient trouver un chirurgien esthétique :

— Docteur, je voudrais vous amener une de nos sœurs qui a été violée.

— Révérende mère, je suis navré. Je ne puis rien faire dans un tel cas : je suis chirurgien esthétique.

— Mais c'est justement pour ça que je viens vous voir, docteur : pour que vous lui enleviez ce sourire béat qu'elle a depuis...

Un médecin demande à une infirmière :

— Comment va le malade de la 15 ?

— Il demande sans cesse sa femme.

— Ah bon ! toujours le délire !

Une dame vient consulter un médecin :

— Docteur, je viens vous voir pour une chose curieuse : à chaque fois que je me déshabille, mon mari a envie de vomir et fait : « Beeerck ! ».

— Déshabillez-vous !

La dame s'exécute. Elle enlève sa robe, son collant, son soutien-gorge et sa culotte. Puis, elle regarde le médecin qui s'est précipité vers son petit lavabo sur lequel il s'est penché et il fait :

— Beeerck !

Un homme vient de se faire frapper par une voiture. La conductrice sort, se penche sur le pauvre homme et lui dit :

— Vous, vous êtes chanceux, on est juste devant un bureau de médecin.

— Pas chanceux, pantoute ! Le docteur, c'est moi !

Une infirmière entre dans la chambre d'un malade qui va être opéré dans quelques minutes et le trouve en plein sommeil :

— Réveillez-vous ! On doit vous endormir !

Après avoir examiné son client, le médecin lui dit :

— C'est grave ! La moindre émotion peut vous tuer !

Et le client tombe raide mort !

Un homme se présente chez le médecin :

— Voi… Voilà, doc… doc… docteur, je bébé… je bégaie…

Alors, le médecin :

— Bien, bien, nous za... za… nous zalons arran… arranger ça !

Un médecin dit à son client :

— Je vais être brutal avec vous, mon pauvre ami : il ne vous reste que deux semaines à vivre !

— Alors, je vais prendre les deux dernières de juillet.

Un médecin demande à un petit garçon qui a la tête bandée.

— Qu'est-ce qui t'est arrivé ?

— J'ai été piqué par une guêpe.

— Et tu as besoin d'un bandage sur la tête pour si peu ?

— Ben oui... C'est que papa l'a tuée avec une pelle !

Un médecin dit à son patient :

— Moi, à votre place, je n'hésiterais pas. Je vendrais tout ce que je possède et je mènerais joyeuse vie pendant tout le temps qu'il me reste sur la terre... En une semaine, on peut en faire des choses !

Un docteur vient d'examiner un malade. Il lui dit :

— Je vous recommande une petite intervention chirurgicale. Après, vous serez comme neuf !

— Vous avez sans doute raison, docteur. Mais peut-être vaut-il la peine de prendre un deuxième avis ?

— Si vous voulez ! Revenez me voir demain…

Un docteur reçoit un malade :

— Alors, qu'est-ce qui se passe ?

— Ça va mal, docteur. J'ai des pertes de mémoire… Qu'est-ce que je dois faire ?

— Rentrez chez vous et oubliez ça.

Deux fous reviennent de l'enterrement du directeur de l'asile :

— Il n'était pas très aimé !

— Qu'est-ce qui te fait dire ça ?

— Ben, t'as bien vu, on a été les seuls à danser pendant la musique…

Une femme a pris rendez-vous avec le docteur.

— C'est terrible, je ne sais plus quoi faire... Mon fils fait toujours dans sa culotte et souvent, il se promène comme ça.

— Ce n'est pas grave, madame, tous les enfants font ça.

— Sans doute, mais au Cégep, plus personne ne veut s'asseoir à côté de lui.

— Vous buvez ? demande le médecin à son patient.

— Certainement ! Qu'est-ce que vous avez à m'offrir ?

Un opticien donne des instructions au peintre qui va s'occuper de son enseigne commerciale :

— Vous m'écrirez : « Ici, examen gratuit de vos yeux ». Mais attention : il faut que cela soit en lettres suffisamment floues pour que ceux qui vont la lire soient persuadés qu'ils ont besoin de lunettes.

Vous savez la différence y a-t-il entre Serge Gainsbourg et un chameau ?

— Le chameau peut travailler huit jours sans boire, alors que Gainsbourg pouvait boire huit jours sans travailler.

On n'est pas payé pour ce qu'on vaut mais pour ce qu'on rapporte.

Qu'est-ce qui arrive quand la pêche est ouverte ?

— On lui voit le noyau.

Une blonde est tombée en bas de l'escabeau en repassant ses rideaux.

Qu'est-ce qui rentre sec et dur et qui sort mou et mouillé ?

— Une gomme !

C'est l'histoire un petit vieux qui retrouve une petite vieille avec qui il a eu une aventure autrefois. Il lui dit :

— Tu te souviens quand je te faisais l'amour adossée à la clôture du champ de ton père ?

— Oh oui !

— Ça te dirait qu'on recommence une dernière fois ?

— Oh oui !

Ils vont donc près du champ du père, et ils commencent à lui faire l'amour adossée à la clôture en question. Et là, la petite vieille semble aimer ça plus qu'avant et elle lui dit :

— Ben, t'as pas perdu la main ! C'était même mieux qu'avant.

— Oui, mais avant la clôture n'était pas électrique.

Tu sais quand on devient vieux ? Non ?

— C'est quand il nous faut toute la nuit pour faire ce qu'avant on faisait toute la nuit !

C'est l'histoire d'une femme qui dit à son mari :

— Je crois que la petite a mon intelligence !

— Sûrement ! Parce que moi j'ai encore la mienne !

Une femme téléphone à son mari et elle lui dit :

— J'ai passé deux semaines dans une clinique d'amaigrissement et j'ai fondu de moitié.

— Reste un autre deux semaines !

Des nouvelles de la Bourse : « Hausse de la chemise, baisse du pantalon et va-et-vient dans la fourrure ! »

Vous savez que le pape est le frère de la reine d'Angleterre ? Jean-Paul et Élisabeth, ils ont tous les deux le même nom de famille : II !

Le mariage des prêtres, je suis pour... s'ils s'aiment.

J'suis allé dans un salon de manucure tellement cheap que la manucuriste te coupe pas les ongles, elle te les ronge.

Dans une maternité, une infirmière dit à une jeune mère :

— Votre bébé est un ange, aussitôt couché, il ne bouge plus.

— Le vrai portrait de son père !

Un gars rencontre son ami qu'il n'a pas vu depuis vingt ans :

— Comment ça va ?

— Ah ! Ça va pas depuis que je t'ai vu la dernière fois. J'me suis fait frapper par une auto, j'ai divorcé deux fois, je m'suis fait voler mon système de son, mon chien est mort, mon chalet a passé au feu, ma fille de 16 ans est enceinte, on sait pas qui est le père, j'ai perdu mes lunettes... C'est effrayant !

— J'comprends, t'as pas perdu ta job toujours ?

— Non, non.

— C'est quoi ta job ?

— J'vends des porte-bonheur.

En classe d'anglais, un niaiseux demande à son voisin :

— Qu'est-ce que ça veut dire, *I don't know* ?

— Je ne sais pas, lui répond son voisin.

— Quand on ne le sait pas, on ferme sa maudite gueule.

Trois Hell's Angels arrêtent leurs motos devant un casse-croûte où déjeune un chauffeur de poids lourd. Les motards le dévisagent, puis l'un d'eux s'avance jusqu'à sa table et crache dans son café. Le camionneur ne réagit toujours pas. L'autre motard prend une carafe d'eau et la lui renverse sur la tête, pas de réaction. Le troisième le saisit par le collet et le jette par terre. Le chauffeur routier se relève, s'époussette et sort du casse-croûte sans dire un mot, pendant que les Hell's Angels se moquent de lui.

— Quel peureux ! On dit que les camionneurs sont des durs, mais vous l'avez vu, celui-là ? Il ne sait même pas se battre.

C'est à ce moment que le patron du bar, qui regardait dehors, dit :

— Non seulement il ne sait pas se battre, mais il ne sait pas conduire non plus. En repartant avec son gros camion, il a écrasé trois motos !

Quel est le plus petit monastère ?

— Un pantalon d'homme : y a rien qu'un moine dedans.

Quelques minutes avant l'atterrissage, le pilote d'un 747 s'adresse à ses passagers :

— Mesdames et messieurs, ici le commandant de bord. Ce vol New York-Paris est mon dernier vol. Je prends ma retraite... C'est pourquoi, mesdames et messieurs, je vous demande d'attacher solidement vos ceintures : en trente ans de carrière, j'ai toujours rêvé de faire un looping, une vrille. Eh bien, messieurs-dames, avec votre permission, nous allons le faire ensemble !

L'instant suivant, les passagers se retrouvent les pieds en l'air, puis reviennent en position normale.

— Alors ? C'était pas mal, non ?

Les passagers, heureux d'en être sortis vivants, applaudissent à tout rompre le pilote. Tous, sauf un, qui, enragés, va s'asseoir à sa place, mouillé des pieds à la tête.

L'hôtesse lui demande :

— Qu'est-ce qui se passe ? Vous n'avez pas aimé le looping ?

— Pantoute ! J'étais aux toilettes...

— Papa, papa ! Tu peux m'aider à faire mes devoirs ?

— Mais bien sûr, ma petite chérie.

— C'est un devoir de français. On nous demande d'illustrer par un exemple la différence entre « exciter » et « énerver ».

— Bon. Eh bien, écoute, ce n'est pas compliqué : ta mère, il y a dix ans m'excitait, aujourd'hui elle m'énerve !

Deux femmes qui jasent. La première dit :

— Mon mari travaille sur les bateaux, il est toujours parti. Il passe seulement un mois par année à la maison.

— Vous devez trouver ça long !

— Non, un mois, c'est vite passé.

Le gars était assez niaiseux : il pensait que Gorgonzola c'était le frère d'Émile Zola.

Deux terroristes s'en vont en auto poser une bombe. Celui qui conduit roule à toute allure. L'autre lui dit :

— Va pas si vite, si on passe dans un trou, la bombe va exploser !

— Fais-toi-z'en pas, j'en ai une autre dans la valise.

Une femme va voir son médecin et elle lui dit :

— C'est bizarre, dès qu'on me touche les seins, ils se redressent vers le haut, vérifiez vous-même.

Elle enlève sa brassière. Le docteur commence à lui tâter les seins. Effectivement, les seins se dressent vers le haut. La femme lui dit :

— Vous voyez que c'est vrai, qu'est-ce que ça peut être ?

— Je ne le sais pas, mais je peux vous dire que c'est contagieux.

Ma belle-mère avait besoin d'une transfusion de sang. Ça a pas été possible : on pouvait pas trouver de tigre !

Une femme va voir un docteur et elle lui dit :

— Docteur, c'est épouvantable, mon troisième mari vient de mourir. Les trois sont mort de la même maladie, le tétanos. Qu'est-ce que je vais faire ?

— Vous devriez changer votre stérilet, il doit être rouillé !

Dans un party, un gars rencontre une fille et lui dit :

— On va aller chez moi puis je vais te faire un tour de magie.

— Ah oui ! C'est quoi, ton tour de magie ?

— Tu viens chez moi, j'te fais l'amour puis après tu disparais !

Une vieille femme arrive chez l'oculiste avec son petit-fils. L'oculiste lui demande :

— C'est pour vous ou c'est pour le jeune homme ?

— C'est pour moi, j'ai amené mon petit-fils à cause des lettres, parce que moi j'sais pas lire.

Quel est le comble de la distraction pour un chef d'orchestre?

— Entrer *La Flûte enchantée* de Mozart dans la grande ouverture de *Carmen*.

Quel est le mot qui commence par une et qui ne contient qu'une seule lettre?

— Enveloppe.

Combien ça prend de pieds pour arrêter une voiture qui roule à 60 milles à l'heure?

— Un seul, le pied droit.

Je me demande si un jour quelqu'un qui s'est mordu la langue a aimé ça et a décidé de manger le reste.

Quel fromage a-t-on servi au dernier repas du Christ avec les apôtres?

— Du rompit!

— Du rompit?

— Oui. C'est écrit dans l'Évangile: «Jésus prit le vin, le pain et le rompit».

Une grosse femme arrive chez le docteur avec sa superbe fille. Elle lui dit:

— La gorge est irritée, les yeux coulent, le nez est embarrassé...

— On va regarder ça, madame. Déshabillez-vous, mademoiselle.

La grosse femme proteste aussitôt:

— Mais c'est pas elle qui est malade, c'est moi!

— Oh pardon! Dans ce cas-là, ouvrez la bouche et dites: «Aaah...»

Ma belle-mère est assez laide. Le beau-père l'amène partout quand il va en voyage et il dit : « J'aime mieux l'emmener que d'être obligé de l'embrasser avant de partir. »

Ma belle-mère est assez laide. Elle a voulu faire partie d'un club de naturistes, ils l'ont acceptée à condition qu'elle se mette une feuille de vigne dans la face.

Un ouvrier est en train de travailler sur une ferme. Il fait une fausse manœuvre et tombe dans la fausse sceptique. Il se met alors à crier : « Au feu ! au feu !... ». Le fermier arrive en courant et le sort de là. Après quoi, il lui demande :

— Veux-tu bien me dire maintenant pourquoi tu as crié « au feu ! » ?

— Si j'avais crié : « Merde ! merde ! », serais-tu venu ?

Un gars se prépare à partir en voyage lorsque le téléphone sonne. Il répond. Au bout d'une seconde il dit :

— J'l' sais pas moi, appelez au service de la voirie.

Sa femme lui demande :

— Qui c'était au téléphone ?

— Un niaiseux qui voulait savoir si le chemin était libre.

Deux bonnes femmes jasent sur un banc public :

— Avez-vous entendu la dernière nouvelle ?

— Non. À quel propos ?

— À propos du docteur Trudeau.

— Qu'est-ce qui lui arrive ?

— Eh bien, il vient d'être interdit d'exercice par son Conseil de l'ordre, parce qu'il a eu des relations sexuelles avec plusieurs de ses patientes.

— C'est triste, un si bon vétérinaire.

Lettre de Manda à Léon

Montréal, automne 1969

Mon cher Léon,

Je prends mon courage à deux mains pis ma plume de l'autre pour t'écrire cette lettre. Depuis que t'es parti, je sens comme un grand vide en moi, c'est pourquoi je me paq'te, pis crois-moi, y'a de la place...

Tout le monde va bien dans la famille, à part la vieille vache de ton frère, celle qui a vêlé le printemps dernier. A vient de crever rapport à la trayeuse qu'y avait oublié de déplugger.

La grosse Thérèse vient d'avoir des jumeaux : le premier est du grand Herménégile pis l'autre de Ti-Nes, son mari. Son frère Arthur vient de marier Germaine. Y'était avant de se marier, à ce qui dit, célibataire. Pis moi qui le pensais barbier.

Y'a nos voisins, les Chénier, qui sont maintenant ben contents, y font les smattes depuis que leur fille apprend le piano et y veulent écraser tout le monde à c't'heure qu'y s'ont une auto.

En parlant d'auto, y'a le chien du père Origène qui s'est fait couper la queue par une Citroën. Prends garde à cette sorte de char-là que je ne connais pas. J'te le pardonnerais pas si y t'arrivait la même chose.

Là y faut que j'arrête parce que j'ai une crampe dans le poignet. Je m'ennuie de toi c'est pas croyable. Je passe mes nuits blanches à t'attendre. Pour trouver le temps moins long, j'ai mis ta pipe pis ta blague en dessous de mon oreiller. Je m'endors en les tenant dans ma main. Comme ça c'est un peu comme si t'étais là.

Si tu ne reçois pas cette lettre, écris-moi pour me le dire.

Je t'embrasse.

Manda

Un homme entre dans un très chic bureau de médecin. Il va voir la réceptionniste et elle lui demande :

— Pourquoi voulez-vous voir le médecin ?

— J'ai un problème de quéquette.

La réceptionniste se sent insultée et dit au patient :

— Surveillez votre langage, il y a des femmes et des enfants ici.

Le gars sort du bureau, revient deux minutes plus tard et dit à la secrétaire :

— J'ai un problème d'oreille.

— Ah, c'est quand mieux, ça. Qu'est-ce qu'elle a, votre oreille ?

— Elle me fait mal quand je pisse !

Deux gars sont en train de jaser. L'un dit à l'autre :

— On ne se cache rien. Entre nous, ta femme, est-ce qu'elle fait bien l'amour ?

— Difficile à dire, ça. Tu sais, les avis sont partagés : il y en a qui disent que oui, d'autres que non.

Sur la porte d'une église, il y avait une enseigne avec l'inscription suivante :

« Si vous êtes fatigués du péché, entrez ici. »

En dessous, écrit au rouge à lèvre :

« Sinon, appelez-moi au 555-6969. »

Un couple est en train de se chicaner. À un moment, la femme dit :

— Un mot de plus, puis je pars !

— Taxi !

Quand vous serez trop paqueté pour conduire votre voiture, allez chez Domino Pizza, commandez une pizza. Quand ils vont partir pour la livrer, demandez au chauffeur si vous pouvez monter avec lui.

Quand j'suis trop paqueté pour conduire mon auto, plutôt que d'appeler un taxi qui me coûterait 25 ou 30 $ pour me conduire chez nous, j'appelle une remorqueuse. Ça coûte un petit peu plus cher, mais le lendemain matin quand vous vous réveillez, votre auto est à la porte.

Les hommes pensent que plus la femme a des gros seins, moins elle est intelligente. Je pense que c'est le contraire. Plus la femme a des gros seins, plus l'homme devient niaiseux.

Les cannibales aiment la pizza qu'on fait livrer : pas pour la pizza, mais pour le livreur.

J'ai acheté une poubelle. Pour l'emporter à la maison, on me l'a mise dans un sac. En arrivant à la maison, j'ai mis le sac dans la poubelle.

Un sexologue a déclaré que plusieurs hommes souffrent d'éjaculation précoce. C'est pas vrai, ce sont les femmes qui en souffrent.

J'me rappelle le jour où la compagnie de chandelle a passé au feu. Tout le monde se tenait autour et chantait bonne fête !

J'ai acheté de l'eau en poudre, mais j'sais pas quoi rajouter.

J'me fatigue pas avec le travail de la maison, j'en fais pas. Quand j'ai de la visite, j'mets des draps sur les meubles, puis j'leur dis qu'on peinture.

Si tu tires sur un mime, est-ce que tu sers d'un silencieux?

J'pense que le Président a mal compris son rôle de président. Son rôle de consiste à fourrer son peuple dans son ensemble, pas un par un!

Les élections qui s'en viennent. Puis le gros problème c'est qu'il y en a un qui va gagner.

Chez nous on était pauvre. Si je n'avais pas été un p'tit gars, j'aurais rien eu pour jouer !

Tout ce qu'on achète chez IKEA a besoin d'assemblage. J'ai acheté un oreiller, ils m'ont donné un canard !

J'ai acheté des batteries, mais elles n'étaient pas incluses, alors il a fallu que j'en achète d'autres.

Ma montre retarde de trois heures, puis j'suis pas capable de la réparer, alors je vais déménager à Vancouver !

Quelle est la différence entre un assassin et un homme qui vient de faire l'amour avec une fille qu'il vient de rencontrer dans un bar ?

— Tous les deux savent pas comment se débarrasser du corps.

Lors d'une croisière dans l'Atlantique, le capitaine s'adresse aux passagers :

— Mesdames et messieurs, j'ai une bonne puis une mauvaise nouvelle à vous annoncer. La bonne nouvelle, c'est qu'on va gagner 11 Oscars...

Il y a quatre choses qui démontrent que Jésus était bien juif :

1° Il a vécu chez sa mère jusqu'à 30 ans.

2° Sa mère ne jurait que par lui.

3° Il était persuadé que sa mère était vierge.

4° Il a créé une multinationale qui marche encore après deux mille ans.

Un pêcheur arrive dans un bar et dépose un gros poisson sur le comptoir. Le garçon lui demande :

— Qu'est-ce que vous voulez ?

Le poisson répond :

— De l'eau…

La chienne de la maison vient d'avoir une portée. Le petit garçon demande à sa mère :

— Comment on appelle les bébés des chiens ?

— Des chiots.

— Puis si c'est des femelles ?

Un homme va voir son docteur :

— Docteur, je suis constipé. Pourriez-vous me donner quelque chose pour soigner ça ?

Le docteur lui prescrit des pilules : un comprimé par jour, aux repas. Le gars, qui a mal compris, prend trois comprimés à chaque repas pendant trois jours. Il retourne ensuite voir le médecin. Le docteur lui demande :

— Puis comment ça s'est passé ? Êtes-vous allé à la selle ?

— Oui, une fois.

— Rien qu'une fois ?

— Oui, du mardi au dimanche !

Le Premier ministre dit à un financier :

— Les gens ont peur pour rien, l'économie roule bien. Ça va même aller mieux. En tout cas, j'ai confiance. Puis je vais vous faire une confidence : si j'étais pas Premier ministre, j'investirais à la bourse.

— Moi aussi j'vais vous faire une confidence : moi aussi j'investirais à la bourse si vous étiez pas Premier ministre.

Une femme s'est fait faire tant de lifting que chaque fois qu'elle croise les jambes, elle baille !

Un homme qui a la réputation d'être maquereau invite une jolie fille à venir prendre un doigt de porto chez lui. La fille refuse et l'homme lui dit :

— Ne me dites pas que vous avez peur.

Un orchestre engagé pour jouer dans une réception se rend compte que le public aime surtout les mambo. Comme il connaît trois ou quatre mambo, l'orchestre les joue et les rejoue. À la fin, le public en a assez. Et quand le chef d'orchestre demande :

— Voulez-vous encore un mambo ?

Les danseurs répondent : « Oui ».

— C'est parfait, on va vous jouer *Mambo sapin* !

CHAÎNE DE LETTRES

Chère amie,

Cette lettre à chaîne est rédigée dans l'espoir d'apporter soulagement et bonheur à toutes les femmes fatiguées et déprimées.

Contrairement aux chaînes de lettres ordinaires, il n'est ici pas question d'argent. Il s'agit simplement pour toi d'envoyer des copies de cette lettre à six de tes amies mariées qui sont aussi fatiguées et déprimées.

Puis, tu expédies ton homme à celle dont le nom apparaît en tête de liste, et tu ajoutes ton nom tout en au bas.

Quand ton nom parviendra en tête de liste, tu recevras 16 387 hommes.

Certains d'entre eux auront certainement bien du bon sens.

Attention cependant! Il ne faut pas négliger cette lettre. Une femme, en effet, a cassé la chaîne et son propre mari lui est revenu. Je sais que tu ne prendras pas cette chance.

Amitiés.

P.-S.
Au moment où j'écris cette lettre, une de nos amies que tu as bien connue a reçu 347 hommes. On l'a enterrée hier, le sourire aux lèvres.

Dans un bar, un Américain et un Russe sont en train de discuter. L'Américain dit:

— J'suis capable de tirer à travers 525 cents à la fois.

Ils vont dehors, puis l'Américain s'exécute. Il tire, réussit et dit:

— Mon nom c'est Bill, Buffalo Bill!

Le Russe lui dit:

— C'est très bien, mais moi je suis capable de faire l'amour à cinq femmes en même temps.

L'Américain ne le croit pas. Pour le convaincre, le Russe baisse son pantalon, montre cinq pénis, puis il dit:

— Mon nom c'est Bill, Tchernobyl!

Quelle est la différence entre la théorie d'Einstein et un pénis?

— Il n'y en a pas: plus on s'y intéresse, plus ça devient dur.

La différence entre vous et votre patron

Quand vous prenez beaucoup de temps, vous êtes lent. Quand votre patron prend beaucoup de temps, il est minutieux.

Quand vous ne le faites pas, vous êtes paresseux. Quand votre patron ne le fait pas, c'est parce qu'il est trop occupé.

Quand vous faites une erreur, vous êtes un imbécile. Quand votre patron fait une erreur : qu'est-ce que vous voulez, l'erreur est humaine.

Quand vous faites quelque chose sans qu'on vous le demande, vous en mettez plus que le client en demande. Quand votre patron fait la même chose, il montre beaucoup d'initiative.

Quand vous affirmez quelque chose, vous êtes entêté. Quand votre patron affirme quelque chose, il est autoritaire.

Quand vous enfreignez une règle d'éthique, vous êtes grossier. Quand votre patron le fait, il est original.

Quand vous faites plaisir à votre patron, vous êtes niaiseux. Quand votre patron fait plaisir à son patron, il est coopératif.

Quand vous n'êtes pas dans votre bureau, vous flânez partout. Quand votre patron n'est pas à son bureau, il est sorti pour affaires.

Quand vous avez pris un verre de trop et que vous devenez entreprenant avec une collègue au party de Noël du bureau, vous êtes un ivrogne qui ne savez pas vivre. Quand votre patron fait la même chose, c'est un amateur de belles femmes.

Quand vous prenez une journée de maladie, vous êtes toujours malade. Quand votre patron prend une journée de maladie, il doit être très malade.

Comment on appelle ça quand un homme parle de sexe à une femme?

— Harcèlement sexuel.

Comment on appelle ça quand une femme parle de sexe à un homme?

— Trois dollars et quatre-vingts dix-neuf cents (3,99 $) la minute.

Lettre reçues au bureau des allocations familiales

« Arrêter mon mari de sur vos dossiers, il est RIP. »

« Mon mari est mort pour le moment. »

« Ma femme a été opéré pour les os verts. »

« Elle est mère-fille et nourrit son enfant au sein sans pouvoir joindre les deux bouts. »

« Je vous écrit de la part de mon bébé mort le 2 juin. »

« Si vous plaît débarqué ma Pauline dessus l'allocation pour qua travaille. »

« Depuis que mon mari est mort, il n'y a plus de bêtes sur la ferme. »

« Dites-moi à quel âge les enfants changent de prix. »

« Nous avons eu un décès qui recevait le chèque d'allocations. »

«Je suis dans les mains du docteur depuis que mon défunt marie est mort.»

«Vous avez coupé ma petite Thérèse en mai. Taché de lui arrangé cela pour l'autre mois.»

«J'accuse réception de ne pas avoir reçu mon chèque.»

«Je ne suis pas bien forte mais j'ai une santé de fer.»

«Donné moi la raison dans lequel je ney pas encore reçu le reculage de mon François.»

«Mon garçon a travaillé dans une chop de viande sur un bicig.»

«J'ai été malade d'une maladie de naissance.»

«J'espère cher monsieur que vous allé réparé votre trompe.»

«Il est mort le 7 mai et enterré le 10 par accident.»

«Mon petite garçon a poigné une confection de poumons.»

«Je suis séparé de mon défunt mari.»

«Ma mère est bien malade. Elle a mal aux jambes et ne peut descendre l'escalier pour les changer.»

« Envoyez-moi mon chèque le plus tôt possible, car je suis pour tomber malade d'une journée à l'autre. »

« Il a perdu son épouse le 17 écoulé. » Il a également perdu le numéro du dossier. »

« Je vous écrit que nous n'avons pas reçu votre chèque, c'est le ronneur de malle qui l'a emporté sus le deuxième voisin. »

« Je vous envoie sa naissance né le 13 octobre. »

« Nous avons un petit garçon de deux mois daté le 28 novembre. »

« Ce monsieur a une famille de 6 enfants et un autre chemin faisant. »

« Ma fille a été trois semaines dans les bisquits et ça l'écœurrait. »

« Je prends un moment de silence pour vous envoyer un mot. »

« J'espère d'avoir le reculons au mois de mars. »

« Louis a décedé le 2 mars, et énumeré le 4 du même mois. »

« Ma voisine est morte pendant qu'on était monté sus le Curé. »

«Selon vos instructions j'ai donné le jour à 2 jumeaux dans une enveloppe ci-jointe.»

«En réponse à votre enquête dentaire concernant mon appareil, les dents de mon devant vont très bien mais celles de mon derrière vont très mal.»

«Je vous avise qu'étant travailleur de nuit, je vis au jour le jour.»

«Si vous n'augmenter pas mon allocation, je vais être obligé de recommencer à travailler.»

«Ma fille, poumonique, est rendue en aquarium.»

«Maintenant qu'il est décédé ditesmoi comment faire.»

«Je vis maternellement avec ma concubine.»

«Je croyais que j'avais le droit de toucher pour mon cubain sans emploi.»

«Etant chomeur sans secours, je me suis mis à ramasser un peu de tôle dans la cour à feraille pour faire manger mes enfants.»

«J'ai été obligé de lui ôter le lait qu'il buvait pour l'habiller.»

«Quand mon petit a eu cinq ans, la caisse m'en a coupé la moitié.»

«J'ai bien confiance à mes enfants et à mon mari d'avantage puisqu'il est incapable de sortir depuis neuf ans qu'il est paralysé.»

«Mes enfants souffrent de chaussures.»

«Je n'ai reçu pour ma fille Jeanine accrochée au chèque d'allocation.»

«Le sept septembre dernier nous est né un autre bébé c'est le cinquième de la même série.»

«Ça fait deux mois que je suis avec le docteur et ça n'aboutit à rien.»

«Je suis le vrai père des enfants et la mère aussi.»

«Nous vous annonçons mon mari pi moi que nous avons un nouvez-nez.»

«Mon enfant est mort pendant que j'étais monté sul curé.»

« J'espère que la formule est remplie en bonne uniforme.»

«J'ai votre chèque entre les mains et je l'ai pas touché.»

« Je suis allé à cet hôpital il y a un mois pour mon cœur qui est cardiaque. »

« Pour ma part, si je me souviens bien, je m'en rappelle pus. »

« Si vous voyiez les enfants, pas de chaussures ni dans les pieds ni sur le dos. »

« Nous sommes douze à table sans compter les six vaches et les autres animaux. »

« Je n'ai pas eu mon chèque ainsi je ne l'ai pas signé de ma main autorisée. »

« Ça fait 7 fois que je reçois rien. »

« Durant la classe, il est tombé dans l'épicerie (l'épilepsie). »

Ma belle-mère est assez laide. Quand elle entre dans une pièce, les souris montent sur les chaises.

Des mot d'enfants

«Dis, maman, quand on meurt, est-ce que c'est pour la vie?»

«Ce matin mon papa m'a fait des muffins en anglais.»

«Je ne retournerai pas à l'école, on m'apprend des choses que je ne sais pas.»

«Aujourd'hui au parc, j'ai vu un 101 dalmatien.»

«J'adore les biscuits aux bibites de chocolat.»

«Les voleurs, est-ce qu'ils volent dans le ciel?»

«C'est où qu'on achète les sous?»

«Quand maman est fatiguée, pourquoi c'est moi qui doit aller se coucher?»

«Comment ils font, les chasseurs, pour savoir si c'est un canard à l'orange?»

«Maman, comment j'étais quand je n'existais pas.»

«Mon frère m'a prêté son chandail de ; ouaté.»

«Je prends une bouchée minuscule,
pas majuscule hein?»

«Là, c'est Noël. Ensuite, le jour de l'an. Après est-ce
que ça va être le verglas?»

«Avoir 100 ans, c'est être centenaire, avoir 1000 ans,
c'est être millionnaire.»

«Mon amie Kim, elle habite dans le pâté chinois
à Montréal.»

«J'ai fait des chaussettes aux pommes avec papa.»

«Grand-maman, quand tu étais petite, est-ce qu'il
y avait des dinosaures?»

«Le printemps c'est quand la neige fond et qu'elle
repousse en gazon.»

«Notre maison est protégée, elle a un système de
larme pour les voleurs.»

«Je me suis fait mal en tombant. Le médecin
m'a fait des points de futur.»

«Je ne sais pas comment la poule jappe.»

«Quand on ne met pas de crème, le soleil nous
donne des coups.»

«Si j'étais un garçon, est-ce que j'aurais été dans
le ventre de papa?

Depuis quelques années, les femmes qui se marient gardent leur nom de jeune fille, qu'elles font précéder ou suivre par le nom du mari. Dans certains cas, ça donne des résultats assez drôles. En voici quelques exemples :

M. Champagne et Mlle Brosseau
➤ Brosseau-Champagne

M. Rose et Mlle Morency
➤ Morency-Rose (Mort en cirrhose)

M. Stone et Mlle Allaire
➤ Allaire-Stone

M. Venne et Mlle Bell
➤ Bell-Venne

M. Lafleur et Mlle Gratton
➤ Gratton-Lafleur

M. D'Or et Mlle Delage
➤ Delage-D'Or

M. Butler et Mlle Lesiège
➤ Butler-Lesiège

M. Lord et Mlle Dupras
➤ Dupras-Lord

M. Contant et Mlle Chassé
➤ Chassé-Content (Chu assez content)

M. Boucher et Mlle Allaire
➤ Allaire-Boucher

M. Ouellette et Mlle Ouimet
➤ Ouimet-Ouellette

M. Bourque et Mlle Lemaire
➤ Lemaire-Bourque

M. Arbour et Mlle Leconte
➤ Leconte-Arbour

M. Lacasse et Mlle Hamel
➤ Hamel-Lacasse (A me la casse)

M. Hétu et Mlle Daoust
➤ Daoust-Hétu

M. Decelles et Mlle Mongrain
➤ Mongrain-Decelles

M. Coté et Mlle Lebon
➤ Lebon-Coté

M. Ratelle et Mlle Sansoucy

➤ Sansoucy-Ratelle

M. Haché et Mlle Lebœuf

➤ Leboeuf-Haché

M. Tarte et Mlle Bélair

➤ Bélair-Tarte

M. Contant et Mlle Payer

➤ Payer-Contant

M. Ratelle et Mlle Meloche

➤ Meloche-Ratelle (Me lâchera-t-elle)

M. Defoy et Mlle Cartier

➤ Cartier-Defoy

M. Contant et Mlle Hétu

➤ Hétu-Contant

M. Carrier et Mlle Adam

➤ Adam-Carrier

M. Pion et Mlle Simard

➤ Simard-Pion (Six morpions)

M. Lefort et Mlle Plante

➤ Plante-Lefort

M. Cauchon et Mlle Hétu
➤ Hétu-Cauchon

M. Lavallé et Mlle Vincent
➤ Vincent-Lavallé

M. D'Amour et Mlle Brûlé
➤ Brûlé-D'Amour

M. Binette et Mlle Labelle
➤ Labelle-Binette

M. Lessard et Mlle Hamel
➤ Hamel-Lessard (A me les sort)

M. Allaire et Mlle Pichette
➤ Pichette-Allaire

M. Guay et Mlle Moreau
➤ Moreau-Guay

M. Guay et Mlle Gareau
➤ Gareau-Guay

M. Laplante et Mlle Lemoyne
➤ Lemoyne-Laplante

M. Duguay et Mlle Lamoureux
➤ Lamoureux-Duguay

M. Léger et Mlle Lemoyne
➤ Lemoyne-Léger

M. Moineau et Mlle Lebeau
➤ Lebeau-Moineau

M. Ratelle et Mlle Plante
➤ Plante Ratelle

M. Lavallé et Mlle Lamothe
➤ Lamothe-Lavallé (Là ma te l'avaler)

M. Allaire et Mlle Hamel
➤ Mme Hamel-Allaire (Ma mamelle à l'air)

M. Lecor et Mlle Deschesne
➤ Deschesne-Lecor

M. Brûlé et Mlle Senterre
➤ Senterre-Brûlé

M. L'Italien et Mlle Senterre
➤ Senterre-L'Italien

M. Labine et Mlle Frappier
➤ Frappier-Labine

M. Bordeleau et Mlle Moreau
➤ Moreau-Bordeleau (Mort au bord de l'eau)

M. Brûlé et Mlle Chrétien

➤ Chrétien-Brûlé

M. Lagrenade et Mlle Melançon

➤ Melançon-Lagrenade

M. Pesant et Mlle Lesiège

➤ Lesiège-Pesant

M. Cauchon et Mlle Sabourin

➤ Sabourin-Cauchon (Ça bourre un ;)

M. Legros et Mlle Bourdon

➤ Bourdon-Legros (Bourre donc le gros)

M. Caisse et Mlle Boivin

➤ Boivin-Caisse (Boit vingt caisses)

M. D'Amour et Mlle Soucy

➤ Soucy-D'Amour

M. Sansregret et Mlle D'Amour

➤ Sansregret-D'Amour

M. Girard et Mlle Allaire

➤ Allaire-Girard (Alergie rare)

M. Lamarre et Mlle Senterre

➤ Senterre-Lamarre

M. Lesiège et Mlle Gratton

➤ Gratton-Lesiège